50 ejercicios **para tu** Bebé

José Manuel Sanz Mengíbar

LIBSA

© 2009, Editorial LIBSA
San Rafael, 4
28108 Alcobendas. Madrid
Tel. (34) 91 657 25 80
Fax (34) 91 657 25 83
e-mail: libsa@libsa.es
www.libsa.es

ISBN: 978-84-662-1725-5

COLABORACIÓN EN TEXTOS: José Manuel Sanz Mengíbar
EDICIÓN: Equipo editorial LIBSA
DISEÑO DE CUBIERTA: Equipo de diseño LIBSA
MAQUETACIÓN: Equipo de maquetación LIBSA
FOTOGRAFÍAS: Antonio Beas y archivo LIBSA
MODELOS: Alba Risueño, Daniela del Olmo,
David Hernández, Hugo Boisseleau, Itzíar Pérez,
Mara Hewit

Contenido

Introducción

LOS EJERCICIOS propuestos en este libro para hacer con bebés y niños no están destinados a realizar un entrenamiento para mejorar sus cualidades puramente físicas. El objetivo es acompañar de forma armónica todas las áreas del desarrollo a través del juego. En cuanto a la franja de edad abarcada, el contenido de este manual comienza desde los primeros meses de vida hasta los tres años, cuando el pequeño comienza a disfrutar de una mínima autonomía. Durante los primeros meses de vida tendrá una especial relevancia el campo motriz debido a que el movimiento será el reflejo del desarrollo cognitivo del neonato.

Si hay una característica fundamental y común a todos los tipos de ejercicios infantiles, ésa es el juego. Los niños aprenden jugando y nunca podemos proponerles una actividad aislada, aunque nos parezca que constituya diversión o motivación. Si intentamos enseñarles con los mismos mecanismos que a un adulto, haciendo excesivamente consciente el aprendizaje, sólo conseguiremos desmotivarles y frustrarles. Sencillamente, la madurez cerebral del niño necesita del juego en la etapa preescolar.

En este libro se especifica la edad más adecuada para cada uno de los ejercicios siguiendo los criterios de desarrollo propuestos por diferentes autores. Este desarrollo ideal debe adaptarse a cada niño en particular, es decir, que puede observarse, de manera orientativa, una desviación de la normalidad entre los tres meses y el primer año de vida.

Por último, es importante destacar que los ejercicios descritos en este libro están basados en el desarrollo ideal del niño sano. Los niños con algún tipo de dificultad también pueden beneficiarse de estos ejercicios, pero deben ser orientados y dirigidos por un especialista para adaptarles a cada situación en particular.

Es el caso de los prematuros, por ejemplo, cuya edad de desarrollo debe considerarse como la diferencia entre su edad

cronológica menos el número de semanas que se adelantó el parto. Para ello debemos considerar siempre como tiempo medio de gestación 37 semanas, y únicamente hasta que el niño cumpla los dos años de edad. Si en cualquier otro caso las dificultades superasen de forma exagerada los parámetros establecidos, sería de gran ayuda consultar a un especialista.

A través del ejercicio físico se puede contribuir positivamente al correcto desarrollo del niño. Muchas investigaciones y estudios han demostrado que el ejercicio fomenta el desarrollo físico, psicológico y social, además de favorecer la autoestima y aumentar la capacidad de toma de decisiones. Los juegos que aprende y practica el pequeño sirven no sólo para dominar y controlar el equilibrio, sino que son muchos los aspectos que pueden favorecer. El ejercicio físico es necesario porque:

- FAVORECE EL BIENESTAR GENERAL. La actividad física estimula los sistemas muscular, cardiorrespiratorio y óseo.

- AYUDA A CONTROLAR EL SOBREPESO. Media hora diaria de actividad física sirve para prevenir la obesidad y el exceso de grasa corporal.

- PERMITE ADQUIRIR MAYOR CONTROL EN LOS MOVIMIENTOS. El ejercicio aumenta el tono muscular y la coordinación corporal, tan necesaria en las primeras etapas del aprendizaje.

- HÁBITOS SALUDABLES. Gracias al ejercicio, se mantienen unas costumbres higiénicas y alimentarias saludables.

- AUMENTA LA MINERALIZACIÓN. Con el movimiento los huesos reciben una mayor mineralización, por lo que disminuye el riesgo de padecer osteoporosis cuando sea adulto.

- FAVORECE LA CONCENTRACIÓN. Cuando se realiza ejercicio físico, crece la capacidad de atención.

- AUMENTA LA AUTOESTIMA. El ejercicio favorece que uno sea consciente de sus limitaciones y pueda ponerse objetivos y metas para poder superarlas.

- EFECTO SOCIALIZADOR. El ejercicio y los juegos favorecen las relaciones con otras personas. También contribuyen a desarrollar y afianzar valores como el compañerismo, la lealtad y la perseverancia.

Como las edades son orientativas, no debemos frustrar al niño con exigencias excesivas, sin que se le pueda estimular por debajo de su edad cronológica. Si observásemos que el niño va levemente retrasado, debemos realizar los ejercicios que refuercen las posiciones y los movimientos previos a la etapa en la que se encuentra.

Como la disposición de este libro se ha hecho según la edad de desarrollo, se considerará como condición imprescindible para poder realizar un ejercicio la capacidad de hacer los anteriores. No podemos forzar las posiciones para las que el niño no esté maduro a pesar de su edad. Es más útil reforzar los ejercicios del mes anterior antes que frustrarle y provocarle un sentimiento de miedo con requerimientos e indicaciones excesivos para él.

Los juguetes apropiados

Niños de 12 a 18 meses

Muñecas y muñecos de trapo, felpa o goma.

Juguetes y algunos libros con diferentes texturas y contrastes de intensos y llamativos colores.

Cubos para encajar y apilar.

Construcciones sencillas y de muchos colores.

Bicicletas o motos de tres o cuatro ruedas sin pedales.

Cochecitos.

Niños de 19 a 24 meses

Juegos de movimiento: columpios, coches, triciclos, bicicletas, etc.

Juegos de expresión: pinturas, pizarras, juegos musicales, etc.

Muñecas y muñecos.

Animalitos.

Desarrollo motriz

¿Qué podemos hacer?

La evolución de un niño requiere ir superando diversas etapas que no conviene forzar o adelantar, porque lo único que se lograría es frustración tanto en el pequeño como en el adulto

01 Ejercicios de estimulación para el bebé

PARA QUE el desarrollo del niño sano sea correcto, es imprescindible un ambiente favorable que estimule sus potencialidades. Esto significa que el medio externo tiene que aportar al bebé estímulos capaces de despertar en él respuestas. Estos estímulos pueden canalizarse a través de los ejercicios y el juego, pero es fundamental que se adapten al grado de maduración del niño. Si proponemos un ejercicio demasiado sencillo, nuestro hijo se aburrirá. Pero tampoco es correcto pensar que si exigimos al niño juegos preparados para hacerse por encima de su edad de desarrollo, se convertirá en una persona más inteligente. Es fundamental experimentar todas las características de cada etapa, ya que los elementos de los que se componen serán fundamentales para construir los periodos futuros.

Cada cerebro está programado genéticamente para madurar en una determinada secuencia temporal, sobre la que nosotros podemos influir únicamente en un margen limitado. Si intentamos acelerar este proceso por encima de las capacidades de un niño, podemos conseguir frustrarle u observar la aparición de dificultades futuras ante la falta de base previa. Por ello, es fundamental conocer las etapas de desarrollo ideal del niño, que se irán describiendo a lo largo del libro.

✓ Sabías que...

Como se puede observar en todos los ejercicios propuestos, el adulto participa en las actividades del niño creando el «escenario» y la reglas del juego. Sin embargo, también es una parte importante en los ejercicios de estimulación que el niño tenga su propio espacio para jugar solo.

Es fundamental que el bebé se acostumbre progresivamente a entretenerse solo, a crear su propio juego. Primero lo hará mirando y tocándose sus propias manos a los tres meses; con los objetos, a partir de los cuatro meses; con sus pies, a los siete meses, y finalmente realizará juegos cada vez más elaborados. A los dos años, los niños son capaces de jugar de forma independiente durante más de 15 minutos.

✓ ¿Qué podemos hacer?

La base científica de los ejercicios de estimulación se puede entender de forma muy sencilla. El sistema nervioso gestiona todos nuestros procesos mentales y psicomotores. A través de los receptores sensitivos distribuidos por todo el cuerpo, conocemos lo que ocurre en el ambiente que nos rodea. Estos datos son conducidos hasta el sistema nervioso central, que elaborará una respuesta en nosotros según las necesidades percibidas. En el bebé estas respuestas son muy inespecíficas, globales y reflejas para garantizar su supervivencia. Cuando la maduración cerebral permite crear respuestas más elaboradas, el niño será más funcional y, por tanto, las respuestas serán más precisas, analíticas y voluntarias.

Con estos ejercicios pretendemos aportar al niño los estímulos más adecuados según su grado de maduración y en un gran número de campos del desarrollo. De forma intuitiva podemos deducir que no es tan importante la cantidad de estímulos que el niño recibe como su calidad. No basta con una estimulación multisensorial sin criterio o inespecífica, sino que debemos buscar los estímulos adecuados y ayudar a superar las dificultades que presenta cada niño. Cuanto mejor sea la calidad y la adecuada cantidad de estímulos y ejercicios, mejores serán las respuestas elaboradas y, por tanto, el aprendizaje.

Hasta que no adquiere cierta madurez, el bebé no puede prestar atención.

Mediante todos los tipos de juego estamos trabajando siempre su atención. Su capacidad de prestar interés y concentrarse en la misma tarea es también un claro reflejo de su correcto desarrollo evolutivo. Al igual que con el resto de características, debemos respetar este proceso exigiéndole de manera escalonada. Si queremos que el niño realice los ejercicios durante más tiempo, no debemos forzarle de manera consciente, sino que tendremos que adaptarlo para hacérselo más atractivo a sus gustos.

02 Estimular y hacer ejercicios con los juguetes

COMO YA sabemos, el juego es el ejercicio fundamental para los niños. Para poder jugar y hacerlo de forma más entretenida, a veces podemos utilizar objetos que estén entre el bebé y nosotros. Será fundamental conocer las características ideales de estos juguetes según la edad del niño para que se adecuen a su nivel de desarrollo. Además, conoceremos los juguetes que no son apropiados e incluso aquellos que pueden ser perjudiciales para el bebé.

Para el recién nacido y hasta los cuatro meses de vida aproximadamente, los juguetes tienen que ser atractivos visual y auditivamente. No importa su forma, pero ni pueden ser tan pequeños que el bebé no pueda fijar su mirada en ellos con facilidad, ni tampoco tan grandes que no pueda enfocarlos. Su colocación a 20 centímetros de la cara será suficiente para fijar su mirada en ellos. A pesar de todo, tenemos que tener en cuenta que en este periodo el mejor juguete somos nosotros mismos. A esta edad los bebes prefieren las formas humanas a los objetos. Por ejemplo, se sentirán muy atraídos por las caras y las manos. Lo importante en este momento será captar su atención y que vaya manteniendo la mirada cada vez durante más segundos (en un primer momento únicamente percibirá la intensidad luminosa). La prensión todavía no es posible en los primeros meses, así que el bebé no agarrará los juguetes, pero disfrutará mucho observándolos y viendo cómo se mueven en nuestras manos.

A partir de los cinco meses ya es importante que el bebé pueda agarrar el juguete con facilidad, así que su forma tiene que ser adaptada a él. Serán muy útiles los objetos ci-

líndricos de varias formas y grosores para que pueda aferrarlos desde distintas posiciones de la mano: con la palma hacia arriba, con la palma hacia abajo o de lado.

Cuando por fin consiga agarrar los objetos, alrededor de los seis meses de vida, le ofreceremos juguetes un poco más grandes que necesite sujetar con ambas manos. A esta edad también podrá pasarlos de una mano a la otra, por lo que utilizaremos formas variadas para que practique todos los movimientos de la mano.

Sobre los ocho meses de vida, podremos empezar a jugar con objetos muy pequeñitos. Su motricidad fina estará en sus comienzos de desarrollo y hará una pinza entre sus dedos índice y pulgar para alcanzarlos. Lo hará cada vez con mayor destreza, por eso ya se pueden variar los tamaños y las formas de los objetos. Posteriormente le gustará tirar los juguetes y verlos caer, y disfrutará cuando le ofrezcamos objetos que suenen al golpearse con el suelo o con diferentes velocidades de caída según su peso.

Una vez que el niño ya camina, no podemos continuar con sonajeros y juguetes demasiado simples que le aburran. Le ofreceremos nuevas posibilidades de exploración de formas geométricas, lápices para garabatear, secuencias de colores, juegos de esconder y descubrir, rompecabezas de pocas piezas, juegos de causa-efecto o aquellos que simulan las actividades cotidianas del adulto, pero todos ellos adaptados a las etapas adecuadas, como se describirá más exhaustivamente a lo largo del libro.

Existen algunos juguetes destinados a corregir la postura del bebé. Es el caso de los correpasillos o tacatás, hamacas, sillas o andadores, entre otros. Hay que recordar que los niños no se ponen de pie, gatean o caminan sólo porque les enseñamos.

✓ ¿Qué podemos hacer?

Debemos tener en cuenta que todas estas etapas se realizan de forma automática y programada genéticamente, según se produce la maduración cerebral. Algunos juguetes tienden a acelerar procesos para los que el bebé todavía no está preparado y no son beneficiosos para el futuro del niño. En el caso de los recién nacidos el lugar ideal para que pasen sus horas de actividad es una superficie horizontal y plana, suave pero firme. Comprenderemos al final del libro que lo importante no es sentar o poner de pie pasivamente al niño, sino ayudarle a que lo haga por sí solo desde posiciones más bajas. A partir de ahí el niño desarrollará toda su motricidad, por lo que se le puede ayudar con diversos ejercicios.

03 La conquista de la postura boca arriba

DE FORMA intuitiva podemos pensar que las posiciones de tumbado boca arriba y boca abajo son cómodas y estables para el bebé. Sin embargo, esto únicamente es cierto a partir de los tres meses de vida, cuando comienza a dominar su propio equilibrio. Antes de conseguir equilibrarse en posiciones donde el centro de gravedad está más elevado que la base de apoyo del cuerpo, como sentado o de pie, el bebé debe aprender a ser estable cuando permanece tumbado.

Este concepto, que al principio nos puede resultar extraño, lo podemos observar de forma sencilla en los recién nacidos, que no paran de moverse y se dan «sustos» constantemente. Estos «sustos» no son otra cosa que la reacción de Moro (del pediatra Ernst Moro), que surge en el bebé como respuesta global ante los estímulos externos intensos. Puede ser desencadenado por un ruido o movimiento brusco cuando el bebé está

en esta posición, pero también espontáneamente porque se encuentra en constante desequilibrio. Antes de nacer el bebé habita en un medio líquido y sin percibir el efecto de la gravedad sobre su cuerpo. Además, su posición constantemente flexionada simula una forma de ovillo. Sin embargo, después del parto su situación será completamente diferente y, por tanto, tendrá que aprender a desarrollarse en este nuevo medio. Percibirá el peso de su propio cuerpo por el efecto de la gravedad, el medio que le rodea será gaseoso y su postura se habrá modificado.

Los movimientos que observamos en los recién nacidos en los primeros meses de vida son principalmente reflejos y propios de la falta de control de su cuerpo; aunque nos lo parezca, en ningún momento los gestos que realiza son llevados a cabo de forma consciente. Por ello el bebé se sentirá reconfortado cuando le acerquemos a su posición fetal al sujetarle bien acurrucado para que se sienta seguro. Será fundamental para su desarrollo brindarle estabilidad en nuestros brazos, pero al mismo tiempo el bebé debe aprender a controlar su cuerpo tumbado boca arriba y boca abajo.

✓ Sabías que...

Desde el punto de vista de la evolución, el hecho de que la posición boca arriba sea mucho más inestable que la de boca abajo se explica por el desarrollo filogenético.

La evolución de las diferentes especies animales pasa por el arrastre boca abajo para desplazarse, como los reptiles; sin embargo, ninguna especie se pone boca arriba (en el caso de algunos pequeños animales ni siquiera son capaces de darse la vuelta cuando se caen por casualidad en esta posición). En la evolución hasta llegar al cerebro humano no han existido previamente mecanismos suficientemente maduros de control de esta posición desde un punto de vista neurológico.

✓ ¿Qué podemos hacer?

Gracias a este ejercicio el bebé puede aprender progresivamente a sentirse seguro en esta posición. El bebé se encontrará tumbado en decúbito supino sobre una superficie firme, ya sea el suelo o una mesa, cubierta por una mantita para evitar que sea excesivamente dura y fría. Nosotros nos situaremos a pocos centímetros de su cara, buscando su mirada y con la palma de la mano abierta y relajada sobre su pecho. Este apoyo no será intenso, sino que servirá al bebé para darle estabilidad, sobre todo en la parte superior del tronco, mientras dejamos que mueva libremente las piernas y los brazos. Podemos acompañar su inestabilidad con un suave balanceo de forma progresiva, a la vez que le hacemos mirar hacia la derecha y hacia la izquierda atrayéndole con nuestra posición. Nunca nos situaremos directamente en el centro de la mirada en un primer momento, ya que mantener la cabeza en la línea media le resultará imposible hasta el final de este trimestre. Durante la estimulación prestaremos atención a las piernas, que estarán en constante pataleo y movimiento, y que no debemos inhibir.

Evitaremos movimientos imprevistos y soltarle de forma brusca para evitar los «sustos», por lo menos hasta los tres meses, momento en el que este ejercicio podremos realizarlo sin darle apoyo con nuestra mano en el pecho.

04 Jugar con las propias manos

LA POSICIÓN ideal para que los niños comiencen a desarrollar los movimientos de la mano es tumbado boca arriba, de manera que puedan agarrar las cosas desde distintos ángulos. Como ya hemos visto anteriormente, es fundamental que esta posición sea estable para que el bebé sea capaz de mantener la mirada sobre los objetos durante cada vez más tiempo. A pesar de la creencia popular, el uso de juguetes en los recién nacidos no tiene la finalidad de que los toquen y agarren, ya que eso no será posible hasta los cuatro meses, aproximadamente. Sin embargo, su utilización será fundamental para despertar su vida mental y su deseo de explorar el mundo que le rodea. En un primer momento el bebé se sentirá más atraído por las formas humanas, en especial su madre y su padre, que por los objetos.

Las caras o las manos despertarán en él un gran interés, y para desarrollar una correcta prensión también tendrá que descubrir, observar y posteriormente explorar sus propias manos. No nacemos conociendo nuestro cuerpo como lo percibimos de adultos, sino que la percepción de nuestro esquema corporal es progresiva. Un niño no será capaz de agarrar lo que desea si primero no descubre «cómo funcionan» sus manos.

El bebé conseguirá primero contactar con las puntas de los dedos de ambas manos cuando cuente con unos dos meses de vida; al principio lo conseguirá sólo durante unos breves segundos. Al tercer mes logrará agarrarse las manos entre ellas y con toda la palma durante algo más de tiempo. Se tocarán y explorarán entre ellas, siempre observándolas atentamente, para después avanzar poco a poco en el propio conocimiento del resto del cuerpo.

✓ Sabías que...

Cuando el niño nace, las manos no pueden tocarse entre ellas porque no conoce lo que llamamos «la línea media». Cada mano es dirigida motrizmente desde el hemisferio cerebral del mismo lado, es decir, cada lado del cerebro controla ese mismo lado del cuerpo. Durante el primer trimestre comenzarán a realizarse conexiones nerviosas entre ambos hemisferios (cuerpo calloso del cerebro) y, por tanto, ambos lados del cuerpo se coordinarán y sincronizarán progresivamente.

✓ ¿Qué podemos hacer?

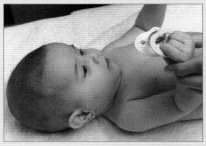

Antes de pretender que nuestro bebé agarre los pequeños juguetes que le ofrecemos, podemos ayudarle a que coja sus propias manos. Podemos hacerlo de la siguiente manera:

1 El bebé continúa tumbado boca arriba relajadamente sobre una superficie siempre plana. Tomaremos sus manos suavemente, sin forzarle, y las acercaremos a la mitad del cuerpo, según nos lo vaya permitiendo. Primero juntaremos sus manos a la altura de su pecho, hasta que obtengamos su atención sobre ellas. Al principio sólo será posible el contacto entre los dedos de una mano con los de la otra, pero a lo largo del trimestre debemos conseguir que se agarre y juegue con las palmas. Al mismo tiempo que nos permite jugar con las manos más intensamente, también le estimularemos a que lo haga más arriba, a la altura de sus ojos. Es fundamental que

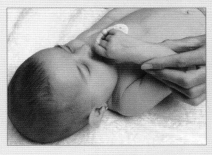

nos ganemos su atención y el contacto visual durante la ejecución del ejercicio.

2 Progresivamente, el bebé jugará cada vez más con sus manos, por lo que si durante la estimulación observamos que se mantiene y se entretiene por sí solo, nosotros debemos retirar nuestras manos. Cuando de nuevo pierda el interés, le ayudaremos otra vez a recuperar la posición, siempre que él lo permita.

3 Le haremos también jugar con las manos hacia un lado y hacia el otro, variando la posición en el espacio y, por tanto, la localización del enfoque de su mirada.

4 Otra variante del ejercicio puede ser tomarle ambas piernas con una mano y flexionárselas ligeramente. Juntaremos ambas plantas de los pies elevadas de la superficie, manteniéndolas durante un periodo prolongado de tiempo. Observaremos si el bebé se ayuda de esta estabilidad que nosotros le proporcionamos para juntar las manos en la línea media del cuerpo de forma espontánea.

05 Levantar la cabeza

COLOCAR A los recién nacidos boca abajo es tan importante como hacerlo boca arriba. Cada una de estas posturas aporta bienestar al bebé.

LAS CAUSAS

Muchas personas pueden sentirse preocupadas al poner a los bebés en esta posición porque la asocian a los casos de muerte súbita, que puede suceder durante las horas de sueño. Sin embargo, esta posición es recomendable para estimular, jugar y comunicarnos con el bebé durante sus horas de vigilia. A través de la actividad en posición de prono, los bebés desarrollan la postura hacia la vertical pasando por el apoyo de codos, manos y rodillas hasta el apoyo sobre los pies. Por supuesto, debemos acompañarles en todo momento durante los ejercicios en esta posición para observar su respiración y despertar su interés por el medio que le rodea.

Al principio el recién nacido no tendrá la fuerza suficiente para levantar la cabeza de la cuna, pero poco a poco lo conseguirá al mismo tiempo que lleva los brazos hacia delante para hacer más fuerza. Necesitará además el equilibrio y la estabilidad suficientes para realizarlo, ya que progresivamente tendrá que levantar y mantener la cabeza contra la gravedad. Así será capaz de mirar las cosas que le interesan con la cabeza fuera de la base de sustentación del cuerpo.

✓ ¿Qué podemos hacer?

Hacia los dos meses de vida realizaremos este ejercicio a través de los estímulos auditivos para incitar el giro de la cabeza hacia los sonidos o hacia la voz del adulto y su olor. El bebé se encontrará tumbado boca abajo siempre sobre la superficie firme, no excesivamente dura y preferiblemente alta, como una mesa o un cambiador, para poder situar nuestra cabeza a su altura sin forzar nuestra espalda en exceso. Su cabeza estará girada hacia un lado u otro, según su elección natural. Nosotros nos colocaremos hacia el otro lado y le hablaremos suavemente para estimular su interés.

También podemos utilizar sonajeros de sonido suave para que no le dañe los oídos. De todos modos, no debemos olvidar que las formas y sonidos humanos despiertan un mayor interés en este

periodo. El giro de la cabeza tendrá que realizarlo con una elevación mínima de la misma y rozando la cara por la superficie. Una vez que consigamos atraer su atención hacia nosotros, lo intentaremos desde el otro lado. Si observásemos que esta posición es imposible de realizar hacia uno de los lados de forma constante, ni siquiera con nuestra ayuda, sería conveniente consultarlo con un especialista. A esta edad la elevación de la cabeza se realiza únicamente en el momento de giro para el que nosotros estimulamos y será imposible que lo haga de frente y manteniéndola erguida durante un buen rato.

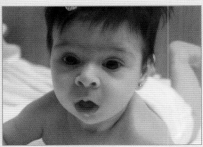

Según avance el trimestre, podremos ayudarle a apoyarse con los brazos cada vez más adelante

En el segundo trimestre el bebé puede mantener la cabeza elevada durante más tiempo.

(siempre dentro del movimiento que el propio bebé nos permita realizar); de este modo, la cabeza podrá comenzar a elevarse de una manera más centrada que antes. Como hemos hecho anteriormente, nos situaremos a un lado y nos moveremos hacia el otro, pero intentaremos progresivamente que realice un seguimiento visual más completo y no únicamente hacia un lado u otro. Para ello, le hablaremos suavemente y contactaremos con su mirada esperando que nos siga durante el mayor recorrido posible del giro de la cabeza mientras nosotros nos desplazamos. Sumaremos, por tanto, el estímulo visual y el auditivo para reforzar su interés durante el ejercicio.

A partir de los tres meses de edad habrá un cambio fundamental en la postura del pequeño que nos permitirá realizar el ejercicio durante los 180 grados de giro libre de la cabeza. En estos momentos, el apoyo sobre los antebrazos se realiza bastante más adelante de su tronco y nuestro objetivo ahora será que lo mantenga en la línea media y elevada durante cada vez más tiempo. Ya no será necesario realizar todo el giro, sino que nos situaremos frente al bebé para llamar su atención. Estos pequeños avances suponen muchas más posibilidades en su movilidad.

Cuando se canse, bajará la cabeza y la apoyará de nuevo sobre la superficie. Una vez que consiga mantenerla durante más tiempo y fijándose en diversos objetos además de nuestra cara, iniciaremos de nuevo la estimulación en todo el campo visual. La diferencia es que en esta edad deberá mantener la cabeza elevada durante todo el recorrido hacia un lado y el otro.

06 La prensión: ¡ya agarro los juguetes!

A PARTIR de los cuatro meses los bebés empiezan a dirigir las manos hacia los objetos para intentar tocarlos y agarrarlos, pero su capacidad para sujetar las cosas cambiará mucho a lo largo de su desarrollo. En poco tiempo experimentarán una notable evolución en una acción esencial para poder ejecutar actividades como jugar o comer.

Antes de describir las diferentes formas de agarrar que tiene la mano del bebé, tenemos que saber que la prensión es un proceso que implica todo el cuerpo. Los bebés intentan agarrar los juguetes que les atraen mediante la mirada, con la boca, con los pies y con las manos. Con el tiempo la mano se especializará en esta función debido al desarrollo filogenético y ontogénico. En el segundo trimestre cada vez que los neonatos quieren agarrar un objeto, elevan ambas piernas del apoyo y cuando lo agarran con la mano, lo acercan rápidamente a la boca para percibirlo con mayor intensidad.

Ahora que sabemos que debemos observar todo el cuerpo del bebé cuando sujeta las cosas y no únicamente sus manos, también debemos tener en cuenta el brazo con el que agarra. Gracias a un aumento de la flexión del hombro durante este periodo, los bebés son capaces de asir las cosas situadas cada vez más arriba, incluso por encima de la cabeza.

Estos ejercicios nos serán útiles para estimular el desarrollo de la prensión durante el segundo trimestre de vida. Utilizaremos en esta etapa objetos pequeños y de poco grosor para que puedan ser abarcados por su mano; es preferible que tengan alegres colores y sonidos, como los sonajeros.

La prensión es una acción que el bebé realiza con todo el cuerpo.

✓ ¿Qué podemos hacer?

Colocaremos al niño tumbado completamente sobre su espalda y le estimularemos rozándole con objetos en el antebrazo y la mano. Buscaremos que el niño sienta el objeto cuando está distraído, lo perciba sólo con el tacto y así pretenderemos que el niño mire la mano para descubrir qué es y dónde se localiza. Seguiremos con la estimulación hasta que comience a dirigir la mano hacia el objeto para intentar agarrarlo.

■ A LOS CUATRO MESES. En este periodo es normal que el niño no consiga agarrar el juguete que le ofrecemos, pero será una gran conquista que alargue el brazo en las direcciones correctas, que nosotros variaremos durante las diferentes repeticiones. Volveremos a practicar el estímulo táctil varias veces y después rozaremos para estimular la parte distal del otro brazo. En esta edad comenzaremos por un campo visual, por ejemplo el derecho, observando cómo el bebé intenta dirigir su mano hacia el objeto. Ya no le ayudaremos con el sentido del tacto, acercándole el objeto a la mano, sino que esperaremos que sólo el estímulo visual le motive lo suficiente.

Si necesitase un poco de estabilidad por los grandes esfuerzos del intento, podremos ayudarle con nuestra mano en el pecho, ahora que ya puede tener un poco de actividad voluntaria. Le estimularemos también para que intente agarrar objetos en diferentes posiciones espaciales, pero recordando siempre que a esta edad debemos ofrecerle los juguetes desde los lados y no a gran altura, en todo caso a la del hombro como máximo. El bebé sujetará los juguetes con la palma de la mano hacia abajo y desde el dedo meñique, con poca capacidad de abarcar. Una vez que hayamos realizado varios intentos con la mano derecha, cambiaremos el lado desde el que le mostramos el objeto para que sea la mano izquierda la que se

dirija a agarrarlo. A esta edad los niños no tienen una lateralidad definida, por lo que debemos estimularles por ambos lados del cuerpo.

■ A LOS CINCO MESES. Según va madurando a lo largo de este trimestre, el niño tendrá más capacidad para agarrar desde fuera hacia dentro. Para ello necesita que le mostremos los objetos lo más cercanos posible a su dedo pulgar, pero todavía no en la línea media del cuerpo y de la visión. Los aros u objetos cilíndricos nos ayudarán para intentar que agarre también ahora con la palma hacia arriba, aproximadamente a los cinco meses de vida. Este movimiento se conoce como prensión con supinación y sólo se realiza de forma lateral.

■ A LOS SEIS MESES. Al final de este segundo trimestre de vida el bebé ya es capaz de agarrar los objetos con una prensión grosera y algo torpe en la mayor parte del campo visual. Sin embargo, dicha torpeza irá desapareciendo a lo largo del siguiente trimestre, cuando adquiera una mayor habilidad. Podemos realizar tres variaciones básicas de ejercicios combinables entre ellas:

- Ofreceremos primero los objetos en la línea media, buscando que el niño los coja con ambas manos simultáneamente.
- Después también inhibiremos suavemente una mano, mientras le ofrecemos el juguete en ese mismo lado, para que sea la otra mano la que cruza el hemicampo visual que hasta ahora había ejercitado para ir a agarrar dicho objeto.
- Para finalizar, mostraremos los objetos a cierta altura, es decir, por encima de la cabeza y en un ángulo mayor de flexión en que la mano debe elevarse por encima de los hombros.

07 Dar la vuelta de boca arriba a boca abajo

SE CONOCE con el nombre de volteo cuando el bebé aprende a cambiar por sí solo desde tumbado boca arriba a tumbado boca abajo. Este es el primer movimiento de rodar que aprende, ya que posteriormente se produce el de darse la vuelta al contrario, de tumbado boca abajo a tumbado boca arriba.

LAS CAUSAS

Este nuevo movimiento lo adquirirá casi por casualidad, cuando intente agarrar los objetos que le gustan situados a cierta distancia a ambos lados. Será la primera vez que el bebé consiga desplazarse de su sitio para dominar otro espacio. Al principio será prácticamente un vuelco repentino, como una caída, que incluso le asustará y desorientará. Esto se debe a que todavía no coordina sus movimientos, pero nosotros podemos ayudarle a que los domine cada vez más; como el resto de movimientos que nuestro hijo debe aprender, tiene que ser un proceso progresivo.

Al principio el bebé apoyará toda la espalda de forma homogénea cuando está tumbado. Según aumenta su interés por los objetos laterales, tendrá que desplazar más y más el peso hacia un hombro u otro dependiendo del lado en que se encuentren. Esa capacidad para desplazar y levantar el peso de su cuerpo lateralmente será cada vez mayor durante el segundo trimestre de vida, hasta que al final del sexto mes aproximadamente consigue quedarse tumbado de lado sobre un costado y seguidamente darse la vuelta boca abajo.

✓ Sabías que...

Un indicador para saber si el bebé ya tiene suficiente madurez para girarse por sí mismo es el brazo. Si el brazo queda atrapado cuando gira un poco, significa que el bebé no está listo para realizar el volteo completo.

✓ ¿Qué podemos hacer?

Unos sencillos ejercicios sirven para motivar al bebé a girarse cuando está tumbado boca arriba. Cada etapa requiere unos tipos de ejercicios y dificultad específicos.

1 Aunque la mano comienza a cruzar la línea media en el segundo trimestre de vida, todavía no puede tomar los objetos que están en ese otro lado. Lo que conseguimos estimulando esta tendencia es ayudarle a desarrollar el volteo arrastrando todo el cuerpo detrás del «ambicioso» brazo. Desde los tres meses y con el niño tumbado boca arriba, el ejercicio consistirá en realizar seguimientos visuales en la línea horizontal. Colocados a la altura de sus ojos, nos desplazaremos hacia un lado y otro lentamente. Seguiremos el movimiento horizontal de los ojos, intentando que nos siga en todo el recorrido, cada vez más rápido.

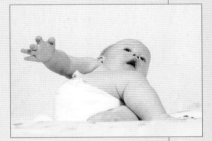

2 Después colocaremos el objeto hacia ese lado con la intención de que intente agarrarlo con la otra mano, a pesar de que sabemos que todavía no lo conseguirá.

3 El siguiente ejercicio será con las piernas. Las tomaremos desde ambos muslos con nuestras manos. Doblaremos suavemente una pierna hacia el pecho, mientras que estiraremos la otra hacia el lado donde vamos a provocar el giro. A continuación lo realizaremos hacia el otro lado.

4 Cuando el niño tenga unos seis meses, colocaremos objetos cerca de su oído mientras está tumbado relajadamente boca arriba. De este modo, el niño primero girará la cabeza para mirarlo e intentará agarrarlo con el brazo de ese lado, pero le resultará imposible. En un segundo intento utilizará el brazo contrario y, como deberá hacer un movimiento de cruce, se verá obligado a darse la vuelta. Cuando ya pueda agarrar el objeto con facilidad, se lo alejaremos más lateralmente y hacia arriba para provocar el giro completo.

08 El desarrollo de la musculatura abdominal

LA MUSCULATURA abdominal es fundamental para el control del resto del cuerpo. Podemos considerarla como el centro y el punto fijo desde donde nace la coordinación entre las diferentes partes del cuerpo.

Pero no es fundamental únicamente para que el niño pueda moverse, sino también para garantizar su equilibrio en cualquier posición; conseguir enderezarnos contra la fuerza ejercida por

la gravedad, ya sea en posturas bajas o incluso de pie; realizar un correcto movimiento respiratorio; garantizar la presión exacta dentro del propio abdomen y, por tanto, regular

 **Sabías que...**

La contracción de la musculatura abdominal es muy compleja, ya que puede dividirse en ocho partes cuyas distintas combinaciones dan lugar a los diferentes movimientos del eje del cuerpo. En líneas generales, mantener el control postural de la pelvis y el abdomen facilita que el resto del cuerpo quede estabilizado.

el eficaz funcionamiento de todos los órganos que están ubicados en esta región corporal.

La primera vez que la musculatura abdominal se activa de una forma coordinada es hacia los seis meses de edad, cuando el bebé ya es capaz de darse la vuelta desde boca arriba a boca abajo y levantar ligeramente la pelvis de la superficie hasta que progresivamente consigue ponerse a cuatro patas desde la posición de boca abajo. Por tanto, ejercitar la musculatura de esta zona del cuerpo constituye un factor importante para evolucionar adecuadamente las destrezas motrices propias del siguiente trimestre, las cuales precisan unas características de fuerza y control mucho más desarrolladas y específicas que en la etapa inicial.

✓ ¿Qué podemos hacer?

A partir de los cinco meses de edad se puede llevar a cabo esta serie de ejercicios para activar la musculatura abdominal del pequeño. A modo de juego, se irán haciendo estos sencillos paso a paso; unos requieren una pelota de playa, mientras que otro es un útil masaje. Se pueden realizar varias veces cada día y siempre de manera muy suave y sin forzar lo más mínimo al bebé.

1 Colocaremos al bebé tumbado boca arriba sobre una superficie firme. Comenzaremos flexionando suavemente ambas piernas juntas sobre el pecho. Las mantendremos dobladas en esta posición durante unos cinco segundos para después soltarlas controladamente y al mismo tiempo observar la contracción abdominal que evita que caigan bruscamente. Repetiremos el movimiento de cinco a diez veces.

2 A continuación realizaremos el ejercicio flexionando únicamente una de las piernas, por ejemplo, la derecha. La otra pierna quedará estirada de forma relajada en un principio, y esperaremos a que el niño la flexione por sí solo, sin nuestra ayuda. Cuando lo haga, mantendremos unos segundos y posteriormente relajaremos la presión realizada hasta que ambas piernas queden libres, ya sea flexionadas o estiradas, según la preferencia del bebé. Será el turno a continuación de cambiar flexionando pasivamente la pierna izquierda y esperando la flexión activa de la pierna contraria.

Estos ejercicios pueden realizarse desde el primer trimestre de vida con buenos efectos sobre el estreñimiento y los cólicos, pero las respuestas de las piernas variarán debido a los constantes movimientos reflejos de este periodo. En el segundo trimestre la tendencia de las piernas será quedarse elevadas con respecto a la superficie de apoyo, lo que mejorará de forma progresiva la fuerza de la musculatura abdominal.

3 Este ejercicio está basado en la técnica de masajes, que tendrán un importante efecto sobre los trastornos digestivos del bebé en el primer trimestre. Sin embargo, a partir de los cuatro meses también mejorarán el tono muscular abdominal. Comenzaremos realizando un masaje de rozamiento suave alrededor del ombligo. Describiremos un movimiento circular cada vez más amplio, pero siempre en el sentido de las agujas del reloj. De esta forma, facilitaremos el tránsito digestivo del intestino grueso, al mismo tiempo que tonificamos la pared abdominal. Utilizaremos toda la palma y los dedos de la mano, cubriendo la máxima superficie posible, desde el pubis hasta las costillas inferiores y de un lado al otro. Repetiremos el movimiento de manera rítmica y constante diez veces.

Para el siguiente masaje utilizaremos únicamente las yemas de los dedos. Las usaremos para percutir suavemente sobre la musculatura abdominal estimulando su contracción y aportando sensaciones agradables al bebé. El recorrido de los golpecitos seguirá también una trayectoria circular, siempre en el sentido de las agujas de reloj y sin olvidar centímetro de piel alguno sin masajear.

4 Para los últimos ejercicios de solicitación de la musculatura abdominal, utilizaremos una pelota de playa suficientemente grande como para poder colocar al bebé encima sin que toque el suelo. Es recomendable realizarlo únicamente a partir de los cinco meses de edad del bebé, tomando las máximas precauciones para evitar caídas e ir vigilando su respiración.

Comenzaremos situándole boca abajo, con el abdomen sobre la parte más elevada. De esa manera, se verá obligado a elevar la cabeza para poder ver las

cosas que le rodean y le interesan. Como la
pelota es una superficie esférica diferente a
su mantita en el suelo, tendrá que utilizar con
más fuerza los brazos. Este apoyo sobre los
miembros superiores, primero en los codos y
posteriormente en las manos, estimulará
cada vez más la contracción del abdomen.
El objetivo será ayudarle a que poco a poco
vaya elevando la tripita del balón,
quedándose apoyado sobre las manos y los
muslos progresivamente. No debemos
exigirle grandes cambios cuando hacemos
el ejercicio las primeras veces, pues no
olvidemos que esto lo conseguirá a medida
que vaya creciendo durante este trimestre.

5 Para finalizar, daremos la vuelta al niño y colocaremos boca arriba sobre el
balón, con precaución para que no quede con la cabeza excesivamente abajo.
La sensación que le provoca esta nueva
posición estimulará al bebé a intentar
elevarse para llegar a una posición más
elevada contrayendo los músculos del
abdomen. A esta edad no debemos permitir
que llegue hasta la posición de sentado
completamente, por lo que haremos rodar la
pelota para que se mantenga en una postura
estable y equilibrada. Podemos utilizar
juguetes o nuestro rostro para intentar
atraerle y evitar que al principio se asuste.
Una vez que se haya acostumbrado al
ejercicio, utilizaremos el balanceo y suaves
rebotes del balón para que el juego le resulte
más atrayente y divertido. Será apropiado
repetirlo unas cinco veces.

09 El apoyo sobre los codos para agarrar las cosas

MANTENER EL equilibrio resulta más complicado cuando queremos realizar una acción si estamos en una posición poco estable.

LAS CAUSAS

El bebé empieza a acercar las manos a los juguetes sobre los cuatro meses de edad. Cada vez mostrará un mayor interés incluso por los objetos que están más alejados de su alcance. Esto supondrá sacar partes del cuerpo fuera de la base estable de sustentación del mismo. Si esto ocurre, el centro de gravedad tendrá que ser desplazado correctamente por el cerebro para compensar la nueva distribución del peso. Esto sucede de forma automática, sin que nosotros lo controlemos voluntariamente y mediante el uso de otras partes del cuerpo. Para entender estos mecanismos neurológicos de forma sencilla sólo tenemos que inclinar ligeramente hacia atrás nuestro cuerpo cuando estamos de pie. Pasado un límite, nuestros brazos y las puntas de los pies se elevarán para evitar que nos caigamos.

LAS CONSECUENCIAS

Una de las primeras veces que los niños experimentan esta sensación es cuando intentan realizar lo que se conoce con el nombre de apoyo asimétrico en los antebrazos. Con este sencillo ejercicio podemos estimular el equilibrio del bebé. La edad ideal para su realización es entre los cuatro y los seis meses, ya que posteriormente el desarrollo le hará alcanzar posiciones más altas y ya no estará tan interesado en mantener esta postura.

Sabías que...

Otra forma de variar los ejercicios es poner los objetos cada vez más altos, es decir, ya no apoyados sobre la superficie. Podemos ofrecérselos nosotros mismos con nuestras manos o colocarlos encima de pequeñas torres de cubos, pero teniendo en cuenta que sólo lo podrá realizar cuando sea más mayor.

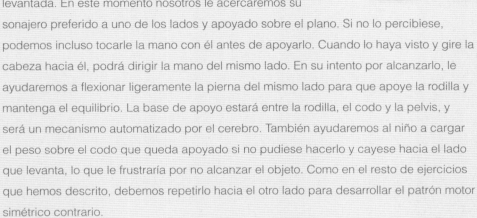

✓ ¿Qué podemos hacer?

El ejercicio comienza cuando el bebé se encuentra tumbado boca abajo y apoyado sobre ambos codos con la cabeza levantada. En este momento nosotros le acercaremos su sonajero preferido a uno de los lados y apoyado sobre el plano. Si no lo percibiese, podemos incluso tocarle la mano con él antes de apoyarlo. Cuando lo haya visto y gire la cabeza hacia él, podrá dirigir la mano del mismo lado. En su intento por alcanzarlo, le ayudaremos a flexionar ligeramente la pierna del mismo lado para que apoye la rodilla y mantenga el equilibrio. La base de apoyo estará entre la rodilla, el codo y la pelvis, y será un mecanismo automatizado por el cerebro. También ayudaremos al niño a cargar el peso sobre el codo que queda apoyado si no pudiese hacerlo y cayese hacia el lado que levanta, lo que le frustraría por no alcanzar el objeto. Como en el resto de ejercicios que hemos descrito, debemos repetirlo hacia el otro lado para desarrollar el patrón motor simétrico contrario.

En los primeros meses sólo presentaremos los juguetes muy lateralmente, donde el niño podrá alcanzarlos de forma fácil. Según se hace mayor y llega a los seis meses de vida o más, colocaremos también los atractivos objetos cerca de la línea media y en el mismo lado del apoyo del brazo para que tenga que alcanzarlo en el otro campo visual. Al mismo tiempo, podemos variar el espacio situando los juguetes más lejos o más cerca, haciendo variar el punto de apoyo y el estiramiento del brazo con el que los vaya a agarrar.

Por la edad del niño, en este periodo no podemos ofrecerle durante este ejercicio juguetes muy pequeños que tenga que agarrar entre los dedos, ya que será imposible. Sin embargo, será importante cambiar la forma y el grosor de los sonajeros y muñecos para que tenga que modificar la forma de sujetarlos: con la palma hacia abajo, con la palma hacia arriba, lateralmente, hacia dentro, con los dedos muy abiertos, con los dedos más cerrados, verticalmente, en horizontal o con forma de esfera. Nuestro papel también será fundamental para el mantenimiento en el tiempo de esta posición en constante equilibrio. Mediante el ejercicio y con los juguetes debemos mantener su atención durante varios segundos. Al principio bastará con el esfuerzo puntual para tomar el objeto y volver a la posición más segura de la que partíamos. Pero posteriormente le incitaremos a jugar y mover el objeto durante más tiempo, manteniéndolo incluso a cierta altura.

10 El apoyo sobre las manos

A MEDIDA que pasan los meses, el bebé se fijará en los juguetes que están más lejos y más altos que él. Cuando estaba apoyado boca abajo sobre los codos en el trimestre anterior, su ángulo de visión se limitaba a los objetos más cercanos. En este nuevo trimestre trataremos mediante ejercicios de atraer su interés hacia objetos que estén situados dentro de un área más amplia. Para ello tendrá que elevar su centro de gravedad, como si de una grúa se tratase, pasando del apoyo sobre los codos al apoyo sobre las manos.

Este apoyo lo conseguirá hacia los seis meses de vida, por lo que tampoco debemos exigírselo anteriormente. Este ejercicio nos servirá tanto para estimularle alrededor de los seis meses como para asegurar la posición cuando sea un poco más mayor.

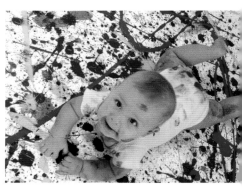

✓ Sabías que...

El apoyo sobre la zona distal de los miembros superiores será además un importante paso en el camino del enderezamiento en contra de la gravedad, es decir, hacia la posición bípeda. La carga que soportarán los brazos será mayor y además implicará un aumento de la fuerza de los músculos extensores del tronco y los abdominales.

Vigilaremos en cualquiera de las superficies donde esté situado el bebé que las manos se encuentren abiertas y los dedos relajados para evitar daños innecesarios a las muñecas. Los brazos deberán estar simétricos y apoyarse a la misma distancia para repartir la fuerza del peso de forma equitativa.

✓ ¿Qué podemos hacer?

Comenzaremos situando al bebé boca abajo sobre el suelo, protegido de la superficie por su mantita de juego, una toalla o una colchoneta dura. Procuraremos que el espacio a su alcance sea grande, debido a que a esta edad y a su creciente curiosidad combinará sus movimientos con el desplazamiento a través del volteo. Además, si utilizamos una superficie muy pequeña, como su parquecito de juego, a pesar de que estará seguro, también estará más limitado. Como en el resto de ejercicios, la vigilancia será fundamental durante la estimulación para evitar riesgos. No debemos forzarle o colocarle pasivamente en apoyo sobre las manos, sino que hemos de conseguir que él lo haga poco a poco según le vayamos provocando con sus juguetes.

1 Empezaremos colocando juguetes a 2 metros de distancia, pero sobre la superficie de apoyo. Si esto no fuese suficiente, los situaremos más cerca, pero elevados aproximadamente 40 centímetros de altura. Desde estos lugares, provocaremos sonidos o moveremos los juguetes llamando su atención y aumentando sus ganas de

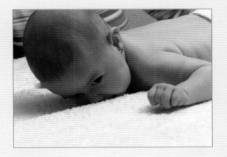

agarrarlos. Entonces desde los codos empujaremos suavemente para estimularle a que los estire. Cuando consiga descubrir esta posición, será nuestro objetivo que la mantenga durante más tiempo, al menos varios segundos.

2 Si después de varios intentos y cuando tiene seis meses de edad el bebé no fuese capaz de desarrollar este nuevo patrón, podemos ayudarlo colocándole una pequeña toalla enrollada en forma de cilindro cuando está boca abajo. Le situaremos los brazos

por delante y lo apoyaremos sobre el pecho, quedando así más elevado y soportando parte de su peso para que elevar el tronco le resulte más fácil.

3 Una vez conquistada la estabilidad sobre la superficie lisa estimularemos su equilibrio utilizando otros juguetes. Podremos empezar con superficies inclinadas ligeramente, usando cuñas especiales o haciéndolas de materiales caseros. Cambiaremos el sentido y la intensidad de la inclinación para dificultarle o facilitarle la elevación del tronco. Si la colocamos con la parte más elevada ayudando a levantar el pecho, le resultará más fácil, mientras que si la ubicamos en el lugar donde apoya las manos, le resultará más complicado.

4 Otra opción es cambiar la consistencia de la superficie donde reposa el niño. Será útil usar colchonetas blandas, ponerle encima del colchón de la cama o colchonetas de aire. Por último, y para estimular un poco más sus habilidades en esta posición, podremos utilizar un balón de playa: su superficie esférica le dificultará la ayuda con las piernas, pero le estimulará casi instantáneamente a enderezarse en contra de la gravedad con ayuda de las manos. A nosotros nos ayudará a regular y variar el ejercicio balanceándola. Sujetaremos firmemente la bola, que debe rodar pocos centímetros hacia delante, hacia atrás y hacia los lados, según nosotros deseemos desequilibrar al niño.

5 Una vez que el pequeño haya superado todas las etapas sobre el apoyo en ambas manos, pasaremos a ejercitarle en el apoyo sobre una. No habrá mejor manera de convencerle para que se reequilibre sobre una mano que incitarle a que coja un bonito sonajero con la otra. A partir de los ocho meses de edad ya podrá realizarlo en todos los planos del espacio e incluso sujetando pequeños objetos. Debemos tener en cuenta que la dificultad de la superficie sobre la que realizamos el ejercicio tiene que seguir la misma progresión para el apoyo bilateral antes explicado.

11 Arrastrarse

EL ARRASTRE de los bebés consiste en desplazarse hacia delante cuando se encuentran boca abajo sin levantar la tripita de la superficie. El movimiento es similar a la locomoción que ejecutan los reptiles, salvo por la diferencia de que en el caso del bebé la fuerza únicamente es realizada por los miembros superiores.

Las piernas acompañarán el movimiento balanceándose a un lado y otro, pero no servirán de punto de apoyo ni impulso. Hay muchos niños que no se arrastran, ya que se saltan esta etapa del desarrollo y pasan directamente a gatear. Los que consiguen arrastrarse lo hacen sólo durante pocos días, ya que descubrirán al mismo tiempo la posición a cuatro patas, que es más ventajosa para desplazarse.

LAS CAUSAS

El interés por estimular al bebé durante el arrastre es enseñarle un nuevo patrón de coordinación propio de los siete meses de desarrollo aproximadamente. Como todos los ejercicios, le permitirá activar juegos musculares en diferentes combinaciones que le serán muy útiles en su futuro desarrollo.

En este ejercicio no podremos ayudar al bebé empujándole desde los pies, ni traccionándole desde las manos. Despertar el interés por desplazarse y moverse es el objetivo de este ejercicio, pero no sirve de nada que facilitemos una locomoción si el niño todavía no está lo suficientemente

✓ Sabías que...

Si el esfuerzo realizado se ve recompensado, lo volverá a intentar cada vez con más ganas. Por el contrario, si no le premiamos el esfuerzo, la frustración y la sensación de no ser capaz le desmotivarán a realizar posteriores intentos. Debemos premiar cada etapa que vaya superando para que se sienta motivado a intentarlo de nuevo.

maduro para ello. Por tanto, nuestro papel será hacerle descubrir el apoyo sobre los codos para que pueda alcanzar el juguete que le mostramos ante sus ojos.

✓ ¿Qué podemos hacer?

Situaremos al bebé tumbado boca abajo sobre una superficie baja y firme. No podremos colocar entre la superficie y el cuerpo del niño toallas, sábanas, mantitas u otros materiales deslizantes que se arruguen y no le permitan aferrarse a puntos fijos de donde tirar de su cuerpo. Seremos precavidos entonces para no colocarle directamente sobre el suelo, superficies frías, altas o donde el roce pueda producirle quemaduras leves en la piel. La ropita ideal sería dejarle únicamente con el *body* para proteger el torso y permitir que las extremidades estén libres para poder apoyarse sin deslizarse.

Le ofreceremos a no más de un metro de distancia su juguete preferido moviéndolo y después apoyándolo sobre la superficie. Esta distancia es orientativa, pero nunca debemos dejarlo muy cerca para que lo coja en una brazada, ni tampoco más lejos para que pierda el interés ante el primer esfuerzo sin resultado positivo. En un primer momento incluso se lo acercaremos, aunque no logre desplazarse completamente; así le reforzaremos positivamente.

A continuación observaremos cuál es el brazo que levanta del suelo para intentar alcanzarlo desde lejos y entonces le ayudaremos a apoyar el codo contrario. Desde ese codo realizaremos una suave tracción para que tire hacia nosotros como respuesta opuesta. Podemos cambiar el objeto de lado para repetir la secuencia con el otro brazo, ya que debemos recordar que el arrastre se realiza con ambos brazos de forma alternativa a modo de remo, primero uno y después el otro.

Para reforzar este ejercicio podemos deslizarle suavemente desde la tripa en la misma posición algunos centímetros. El objetivo no es que nosotros le desplacemos, sino que aprenda a percibir el movimiento de locomoción hacia delante y las ventajas que comporta. Repetiremos el avance progresiva y lentamente hasta llegar al objeto elegido.

12 Ponerse a cuatro patas

PONERSE A cuatro patas no es lo mismo que gatear. Es muy común que todos los padres deseen ver a su hijo gatear rápidamente como síntoma de un adecuado desarrollo motriz.

LAS CAUSAS Y LAS CONSECUENCIAS

Sin embargo, antes de alcanzar el estadio de gateo es importante que el niño mantenga una posición estable y se sienta seguro en la posición de cuatro patas. En ésta, los brazos tendrán que soportar gran parte del peso del cuerpo, y durante la locomoción a cuatro patas la carga pasará alternativamente de un lado al otro. Por tanto, este nuevo patrón requerirá mucha fuerza y equilibrio.

✓ Sabías que...

En ningún momento debemos provocar la caída del niño para evitar que coja miedo a esta posición. También intentaremos hacerle sentir nuestra cercanía constantemente. Será muy reconfortante para él sentirnos cerca, ya que la inestabilidad debe ser únicamente una sensación de juego y diversión en todo momento.

Es importante comprender en este ejercicio que el niño tiene que cargar el peso en las rodillas gracias al impulso de los miembros superiores. Es decir, debemos ayudar al niño a elevar las nalgas del suelo y llevarlo hacia atrás en dirección arriba y hacia los talones, y no, tal y como se cree, cargando el peso sobre las manos primero y luego doblándole las piernas (esto puede inducir a que el niño se caiga de frente por una insuficiente seguridad en el apoyo sobre las manos y que sienta miedo). Si cuando intentamos llevarle a la posición de cuatro patas de esta manera el niño no apoya las rodillas automáticamente sino que se desliza hacia atrás, quiere decir que todavía no está preparado para alcanzar dicha posición, por lo que debemos reforzar los ejercicios anteriores.

✓ ¿Qué podemos hacer?

Trabajaremos varios ejercicios para lograr esta postura. Primero hay que practicar la secuencia para ayudar a alcanzarla y acompañarle en la maduración de este patrón de forma correcta. Posteriormente reforzaremos la posición que ha adquirido para mejorar el equilibrio, la fuerza y la percepción de las articulaciones proximales de carga. Estos ejercicios suelen comenzar desde la posición de decúbito prono, y se recomienda que el bebé lleve ropa corta para que queden libres el apoyo en las rodillas y en los brazos. Antes de comenzar cualquiera de los ejercicios, situaremos un bonito juguete a la altura de sus ojos cuando se encuentre en la posición de cuadrupedia. Este estímulo cognitivo será necesario para motivarle tanto para subir a esta posición como para que la mantenga durante más tiempo.

1 Comenzaremos con el bebé tumbado boca abajo y apoyado sobre las manos delante de sus ojos. Nuestras manos se colocarán a ambos lados de la pelvis, elevándola unos pocos centímetros sobre sus rodillas, justo antes de que empiecen a deslizarse. Si esto ocurre, descenderemos la pelvis y comenzaremos otra vez hasta que lo consigamos activar correctamente. Poco a poco los brazos del niño deberán acercarse hacia el centro del cuerpo.

2 Cuando sintamos que una mayor parte del peso de su cuerpo ya se carga sobre las manos, podremos continuar elevando la pelvis unos centímetros más. Nuestro objetivo será llegar con esta secuencia a situar las nalgas a la altura de las rodillas. Una vez que lo hayamos conseguido, lo más frecuente es que el bebé deje caer su peso sobre los talones. Deberemos vigilar que no se vaya hacia delante por una pérdida de fuerza y apoyo sobre las manos. Desde esta posición «sentado sobre sus talones» realizaremos el camino inverso. Intentaremos de nuevo desplazarle la pelvis desde abajo hasta situarla otra vez encima de las rodillas para volver a soltar, pero estando pendiente de evitar una caída.

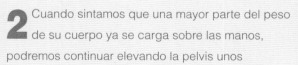

Este ejercicio pretende desencadenar en el bebé un balanceo constante hacia delante y hacia atrás, que le permitirá desarrollar una alternancia de carga del peso corporal entre los miembros superiores e inferiores, fundamental en cualquier desplazamiento futuro.

3 El siguiente ejercicio comenzará a partir de una posición a cuatro patas un poco más madura y ya conseguida por sí mismo, sin nuestra ayuda. Ahora las nalgas no caerán tanto sobre los talones como sucedía antes, sino que se mantendrá más levantado durante más tiempo debido a la agilidad y fuerza que va teniendo el bebé con el paso del tiempo.

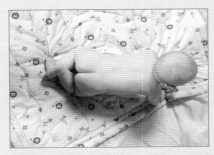

Para activar y desarrollar los mecanismos de recuperación del equilibrio moveremos suavemente el tronco del bebé en diferentes direcciones. No se trata de empujones, sino de acompañarle varios centímetros el centro de gravedad fuera de su base de sustentación sin soltarle en ningún momento durante estos movimientos.

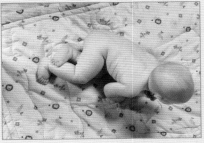

Después de aplicar nuestras manos las separaremos del tronco para permitir que el niño recupere la posición inicial por sí mismo. Estos cambios de peso deben realizarse de forma progresiva en intensidad, pero siempre en todas direcciones: hacia delante, hacia atrás y hacia ambos lados.

4 Al final del tercer trimestre se puede practicar otro ejercicio porque ya disfrutará de más fuerza y elasticidad corporal. Cuando esté sobre las manos y las rodillas, le levantaremos la cadera hasta que estire las piernas; en este caso el bebé será capaz de mantenerse así durante unos segundos prolongados. En ningún momento soltaremos la cadera para que el bebé conserve el equilibrio y no sienta miedo porque, si esto sucediera, probablemente no lo volverá a intentar. Si vemos que podemos soltar la cadera sin que se caiga, mantendremos nuestras manos cerca de su cuerpo por si perdiera el equilibrio en un momento dado.

13 Estimulación y juego con los pies

NO ÚNICAMENTE los brazos y las manos siguen un proceso de desarrollo psicomotor que les va integrando cada vez más en el esquema corporal del niño. También el movimiento coordinado de los miembros inferiores aumenta progresivamente.

LAS CAUSAS

Como ya hemos visto, el desarrollo natural de la coordinación empieza de la cabeza a los pies, por lo que los movimientos en las piernas y pies se coordinarán inmediatamente después que el de los miembros superiores. Antes de que el niño pueda agarrarse los pies, tendrá que jugar a juntarlos. Al igual que ocurrió unos meses antes con las manos, la coordinación se realiza en primer lugar entre ambos lados y posteriormente será capaz de coordinarlos con otras partes del cuerpo, como al tocarse los pies con las manos. En ese momento ambos lados del cuerpo se descubren entre sí también en el eje longitudinal, la parte superior y la parte inferior. Esto supondrá un avance en el conocimiento del propio cuerpo.

LAS CONSECUENCIAS

El proceso de descubrimiento de un pie con otro, elevados del apoyo, comienza a partir del cuarto mes de vida, cuando el niño está tumbado boca arriba. Durante los tres primeros meses es importante que el bebé flexione las piernas ligeramente para elevar los pies del suelo en esta posición, pero no será hasta el final del segundo trimestre de vida cuando enfrente ambas plantas de los pies. Será entonces el momento de comenzar a estimular la percepción entre sus diferentes extremidades mediante la sensibilidad táctil. Haremos contactar piel con piel sus diferentes partes del cuerpo en función de su edad para facilitar las etapas de desarrollo neurológico normal.

✓ Sabías que...

Al igual que sucede con el resto de los objetos, el bebé también llevará el pie a la boca para poder apreciarlo mejor. La sensibilidad a través de la boca tiene un papel fundamental en el desarrollo de la percepción corporal.

✓ ¿Qué podemos hacer?

La estimulación de los pies comienza a los dos meses, cuando podemos masajear un pie con el otro cuando el bebé está tumbado boca arriba. Será hacia los cuatro meses de vida cuando los pueda juntar elevados. A esta edad será capaz de mantenerlos elevados por sí mismo, así que nuestro papel será acercarlos únicamente para estimular la sensibilidad táctil. Masajearemos uno con otro la cara interna de ambos pies, haciendo contactar los dedos gordos.

1 Siguiendo una escala temporal según el crecimiento del bebé, sobre los cinco meses acercaremos la mano del pequeño hacia su muslo correspondiente; mano y pierna siempre del mismo lado, hasta que al principio del tercer trimestre consigamos llegar a los pies. Para lograr el objetivo final habremos tenido que enseñarle a tocar y masajear progresivamente las rodillas y la pantorrilla. Alrededor de los siete meses realizaremos el recorrido contrario: acercaremos sus pies juntos hacia la cara para que primero los observe. Ahora estará suficientemente maduro para querer y poder jugar con ellos. Si no los agarra espontáneamente, entonces sí le ayudaremos en su intento de agarrarlos.

2 A partir del segundo trimestre debemos provocar el contacto entre los pies haciendo tocar toda la superficie de piel. Uniremos planta con planta, dedos con dedos y llegaremos hasta los bordes laterales de cada pie. Podemos colocar incluso pelotitas suaves entre ellos u objetos de tacto agradable para que el masaje resulte más estimulante.

3 Hacia los ocho meses de edad será el momento de acercarle el pie hacia la boca. Como cualquier otro juguete, esta exploración es importante no únicamente desde un punto de vista del conocimiento del cuerpo, sino también para la maduración de la articulación de la cadera en toda su amplitud de movimiento. No debemos forzarle si notamos que el movimiento es todavía limitado, pero sí podemos ayudarle a que alcance el pie con la boca si se encuentra dispuesto a ello.

14 La prensión fina

HABLAMOS DE prensión fina cuando la función de la mano permite agarrar objetos pequeños y realizar actividades de mayor precisión gracias a la diferenciación progresiva de cada dedo. Este tipo de prensión se desarrolla de forma básica a partir del tercer trimestre de vida y se irá especializando cuando el niño ya es mayor con actividades como la escritura. Como condiciones básicas para que se desarrolle, el dedo pulgar debe oponerse a la posición del resto de los dedos, y el dedo índice debe separarse funcionalmente de los otros dedos largos. El niño será entonces capaz de agarrar las cosas entre los pulpejos del dedo pulgar e índice, pero también entre el pulgar y el resto de los dedos a medida que vaya siendo mayor.

La mecánica de este tipo de motricidad va unida a un desarrollo cognitivo más maduro, muy útil para actividades más complejas: sacar, meter, escribir o ensartar. Sin embargo, a esta edad todavía no podemos pedir mucha complejidad en el contenido mental de las actividades, ya que el niño es muy pequeño. Más adelante se trabajará con la coordinación ojo-mano y la destreza manual con objetivos cognitivos algo más evolucionados. Por el momento, en esta etapa ejercitaremos al niño

 Sabías que...

En estos ejercicios prestaremos especial atención ante el riesgo de que pueda tragarse pequeños juguetes o piezas. Además, en esta época comienzan a atraerle los pequeños y peligrosos objetos domésticos, como enchufes, clavos, chinchetas o cualquier otra cosa que haya podido caer al suelo.

para las acciones de agarrar y dejar objetos de pequeño tamaño mediante el movimiento de una pinza o tenaza adecuado.

✓ ¿Qué podemos hacer?

L os siguientes ejercicios deben ser realizados con nuestra vigilancia constante:

1 Comenzaremos ofreciéndole objetos que tengan la misma forma. Primero un puñado de judías para que aprenda a agarrarlas todas con la misma destreza. Después pasaremos a los garbanzos y, por último, le haremos probar con lentejas, que todavía son más pequeñas. Una vez que haya conseguido dominar la prensión y el mantenimiento en las manos de todas, se las mezclaremos para que tenga que adaptar la posición de la mano en cada ocasión. En principio las colocaremos directamente sobre el suelo, pero para dificultar el ejercicio las meteremos en una caja, que cada vez será más pequeña. Por último, utilizaremos objetos planos, como monedas, y otros de menos peso y consistencia, como trozos de papel de colores.

2 Otro tipo de ejercicio fundamental será la utilización de la pinza. En las jugueterías hay tablas agujereadas para clavar piezas de colores para representar formas. Cuando el bebé es tan pequeño, seremos nosotros los que clavaremos varias piezas en distintas posiciones. No podremos esperar que el bebé los introduzca en los orificios, pero sí que tire de ellos. Debido a su tamaño (de un centímetro aproximadamente) únicamente podrá hacerlo mediante la prensión entre el dedo pulgar y el índice.

3 Cuando el niño es más mayor podremos utilizar la plastilina. Le enseñaremos a pellizcar trocitos de una pieza grande para que él nos imite. Le ejercitaremos a que parta una porción pequeña en dos. Por último, y cuando su madurez lo permita, le enseñaremos a hacer bolitas amasando la plastilina entre dos dedos.

15 Girar de boca abajo a boca arriba y jugar tumbados de lado

ANTERIORMENTE HEMOS realizado ejercicios para el desarrollo del giro de boca arriba hacia boca abajo. Este volteo se considera activo, porque el bebé lo descubre cuando se vuelca por casualidad al intentar agarrar los objetos que están a los lados y lejos de su alcance. Sin embargo, el volteo desde la posición de boca abajo hacia boca arriba es utilizado para liberarse de esta posición cuando no le apetece mantenerla por más tiempo.

✓ Sabías que...

Este volteo para ser coordinado y maduro el bebé debe realizarlo lentamente y en todo momento que lo desee. Además podrá pararlo en cualquier instante del recorrido. Por eso no lo podemos confundir con los vuelcos en forma de caída que algunos bebés sufren cuando son más pequeñitos e inestables. Un descuido al seguir un objeto o el simple peso de la cabeza puede provocarle este brusco cambio de posición que, sin embargo, será acompañado de una mayor o menor sensación de susto, según la edad del bebé.

El hecho de que este último giro se realice más tarde, sobre los ocho meses de edad, supone que habrá unos meses durante los cuales los niños no pueden elegir su posición de forma voluntaria. Al final del tercer trimestre esta función ya estará lo suficientemente madura y se dará la vuelta a su gusto. Incluso utilizará este sistema como desplazamiento para alcanzar los objetos que se encuentren todavía más lejos rodando como una croqueta. En esta etapa prestará mucha atención a los sonidos producidos a su alrededor, por eso es habitual que gire sobre sí mismo para descubrir su procedencia.

Gracias al dominio y habilidad que irá adquiriendo con la práctica de este giro, el bebé también descubrirá muchas nuevas posibilidades en sus movimientos que hasta entonces parecían impensables, tanto a él mismo como a los padres y adultos que le cuidan.

✓ ¿Qué podemos hacer?

Para realizar este ejercicio existen dos variantes. La primera de ellas se hará intentando estimular al niño para que se voltee persiguiendo un juguete situado detrás de él o ayudándole a realizarlo desde las piernas.

1 En un primer momento el bebé se encontrará tumbado en la postura decúbito prono y con las manos apoyadas sobre la superficie. Comenzaremos mostrándole su juguete preferido delante, para posteriormente desplazarlo hacia un lado y detrás de su cabeza. No lo haremos rápidamente, sino que será el niño el que marcará el ritmo con su capacidad de seguimiento visual en todo el recorrido. A continuación

el pequeño deberá quedarse apoyado únicamente sobre una mano para perseguir el objeto con la otra. Cuando el brazo ya no le permita más movimiento en esta posición debido a sus límites articulares, llegará el momento del giro. Si no continuamos motivándole lo suficiente mediante los sonidos y los colores, abandonará el intento volviendo a la posición de partida. Por ello al principio será necesario alcanzarle el objeto en este punto para recompensarle el esfuerzo que posteriormente deberá ir aumentando. Mediante una progresiva motivación y un refuerzo positivo conseguiremos que el cuerpo cruce la posición media hacia el decúbito lateral con un giro sobre sí mismo. Continuando con la trayectoria descrita, el niño se colocará boca arriba, al principio de una manera más brusca, hasta que aprenda a frenar su propia inercia. En todo momento le acercaremos su juguete para que valore el esfuerzo realizado. Cuando consigamos realizarlo desde un lado, lo intentaremos desde el otro ejecutando el movimiento inverso.

2 Si este ejercicio al niño todavía le resulta difícil de completar, nos será útil combinarlo con la siguiente modalidad. Debemos recordar en todo momento que no consiste en girar al niño de forma pasiva, sino que es fundamental conseguirlo gracias a su motivación. Nosotros debemos guiarle en el

movimiento de la mejor manera, pero debe ser el niño el que lo realice y quien vaya marcando el ritmo a seguir. Si el niño no se encuentra suficientemente maduro para su realización o llora, será mejor esperar algunos días.

Para la segunda variante, el niño estará preferiblemente tumbado boca abajo y relajado, con los brazos hacia delante, pero sin apoyarse en ellos:

1 En ese momento aprovecharemos para tomarle suavemente desde los muslos con ambas manos situándonos a su espalda. Elegiremos un primer lado de giro y flexionaremos ligeramente hacia arriba esa misma pierna. La otra pierna permanecerá estirada mientras la levantamos de la superficie y la desplazamos en la dirección elegida. Al principio sólo la elevaremos unos pocos centímetros, observando cómo responde el resto del cuerpo. Percibiremos que el niño se mueve correctamente si sentimos cómo la pelvis se eleva fácilmente, la pierna contraria continúa flexionada y el niño se apoya y vuelca más en el lado sobre el que va a voltearse. Si por el contrario notamos una extensión defensiva de todo el cuerpo, nos detendremos y volveremos a intentarlo pasados unos segundos.

2 Nuestra voz podrá guiar su interés hacia la zona dorsal que no puede ver, y repetiremos la misma secuencia hasta que percibamos la activación correcta. Continuaremos entonces el giro hasta que quede tumbado de lado y lo detendremos. Esta última fase tendrá que finalizarla por sí mismo, ya que el movimiento se verá favorecido por la gravedad y, por tanto, será la parte fácil del ciclo. Mostraremos el

objeto para que intente agarrarlo todavía más atrás y al mismo tiempo le ayudaremos levemente en las piernas. Si se volcase hacia delante y volviese a la posición de partida constantemente, lo volveremos a intentar pasados unos días. Si por el contrario lo consiguiese, le premiaremos efusivamente dándole su juguete preferido. Como ya sabemos, todos los ejercicios deben realizarse hacia ambos lados, primero uno y posteriormente el otro.

16 El gateo

SE CONOCE como gateo la locomoción que el bebé hace sobre sus cuatro extremidades y que comienza a la mitad del tercer trimestre de vida.

LAS CAUSAS

Este modo de desplazarse es utilizado por los niños para satisfacer su curiosidad hasta que la marcha bípeda sea lo suficientemente estable para sustituirlo. Como ya sabemos, los miembros superiores van más adelantados en el desarrollo motor que los inferiores, por lo que el apoyo se realizará sobre distintas partes. Los brazos cargarán el peso de la parte superior del tronco sobre las manos, y en las piernas el apoyo se realizará sobre las rodillas para desplazar la parte inferior del tronco.

✓ Sabías que...

Con el gateo el bebé entrena, fortalece y coordina la musculatura para que posteriormente le proteja de posibles desviaciones en la posición de pie. De la misma forma, al ser un movimiento cruzado y alternante que implica el uso de todo el cuerpo de forma global y coordinada, ayudará al aprendizaje de movimientos cada vez más complejos. En el futuro esto será fundamental para caminar, hacer deporte o aprender a conducir, entre otras actividades.

LAS CONSECUENCIAS

A partir de la posición en cuadrupedia el niño comenzará a adelantar primero un brazo y luego la pierna contraria. En un primer momento gateará levantando los brazos y las rodillas uno a uno, es decir, que únicamente liberará del apoyo un segmento para sentirse seguro. Según vaya perfeccionándose su equilibrio en esta posición, podrá levantar incluso dos apoyos al mismo tiempo, pero siempre de forma cruzada. Los movimientos de paso los realizará con el brazo y la pierna contrarios al mismo tiempo, y en un segundo tiempo las otras dos extremidades opuestas. Esto será fundamental tenerlo en cuenta para la realización de los ejercicios.

La velocidad también variará en pocos meses desde lo que le supone un gran esfuerzo hasta atravesar una habitación en pocos segundos. Algunos padres se sienten orgullosos de que sus hijos se salten esta etapa y se pongan rápidamente de pie. Pero el gateo favorece el aprendizaje de la coordinación global del cuerpo y activa la musculatura responsable del enderezamiento de la columna vertebral de forma simétrica. A esta edad todavía la columna vertebral no ha cargado todo el peso del cuerpo.

Por todo ello y aunque el gateo irá desapareciendo progresivamente cuando el niño se ponga de pie, estos ejercicios pueden servir como refuerzo durante algunos meses después. Al igual que en el resto de actividades el niño tiene que ver acompañada su motivación por la persecución de un objetivo. Los ejercicios no consisten en desplazar al niño de forma pasiva, ya que eso no sería útil para su aprendizaje motriz. Antes de comenzar colocaremos delante del bebé un bonito juguete que desee alcanzar para que vaya hacia él.

✓ ¿Qué podemos hacer?

Comenzaremos cuando el niño se haya colocado por sí solo a cuatro patas de forma espontánea y ya sea capaz de permanecer estable en esta posición. Aprovecharemos esta situación para hacerle apoyar más hacia un lado y otro mediante suaves empujones laterales. Haremos presión hacia el brazo derecho y esperaremos a que recupere la posición correcta. Después desplazaremos más peso sobre el brazo izquierdo y esperaremos idéntica respuesta. Realizaremos lo mismo hacia ambos miembros inferiores de forma alternativa.

A continuación modificaremos, además de la distribución de la carga en los apoyos, la posición de éstos de forma pasiva. Tomaremos suavemente un brazo y levantaremos la mano para colocarla rápidamente más adelantada respecto de la otra. Esperaremos a que el niño recupere el equilibrio en esta nueva postura más asimétrica y observaremos si es capaz de devolver por sí solo la mano a la posición inicial. Si fuese así, repetiremos la secuencia con el otro brazo hasta que uno de los dos permanezca adelantado. Cuando esto ocurra, será el momento de ayudarle a desplazar desde atrás el apoyo de la rodilla opuesta al brazo más adelantado. Este ciclo se repetirá hasta involucrar todas las extremidades en sus fases de apoyo y avance.

17 Ponerse de pie

AUNQUE LA posición cuadrúpeda es anterior al gateo, ponerse de pie no significa que el bebé esté preparado para caminar. Antes de ello deberá conquistar la posición bípeda libre, es decir, ser capaz de permanecer de pie sin ayuda de los brazos para equilibrarse. Además lo más importante será que llegue a ponerse de pie por sí solo, sin ayuda alguna por parte del adulto.

La postura a partir de la cual se pondrá de pie por primera vez será el gateo: utilizará la ayuda de los brazos para escalar y agarrarse luego por una silla, por ejemplo. De esta forma, cuando empiece a caminar verdaderamente, conseguirá hacerlo desde cualquier posición y sin la ayuda que le presta un adulto.

Como sucede en otras etapas de la evolución del bebé, no debemos forzarle a que se ponga de pie antes de tiempo. Sus piernas y músculos pueden no estar preparados para aguantar su peso. Si le obligamos a permanecer de pie anticipadamente, lo único que lograremos será precisamente lo contrario: puede sentir miedo y entonces no querrá ponerse de pie bajo ningún concepto.

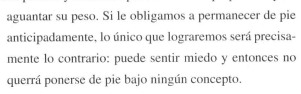

✓ Sabías que...

Como es la primera vez que el niño se apoya sobre los pies es normal que se queden en una posición «hacia dentro». Con la edad este apoyo deberá ir corrigiéndose hasta llegar a una correcta posición fisiológica a los tres años. Si no fuese así, debemos consultar con un especialista para corregir esta posición de los pies.

✓ ¿Qué podemos hacer?

A continuación describiremos la correcta secuencia de puesta en pie para realizarla en una sencilla serie de ejercicios:

1 Enseñaremos al bebé un juguete con ruedas para que nosotros podamos arrastrarlo desde el otro extremo de una cuerda. Cuando consigamos que el bebé persiga a cuatro patas el juguete para agarrarlo y jugar con él, lo acercaremos a una superficie elevada. La altura ideal para comenzar será de unos 50 centímetros, pero teniendo en cuenta que debe haber diferentes zonas donde el niño pueda agarrarse. Sin hacerle perder de vista el juguete, lo situaremos encima de una silla cuando se encuentre muy cerca; de esa manera evitaremos que pierda el interés y se dé la vuelta en busca de cosas más accesibles. De su ingenio dependerá dónde colocar las manos, pero lo que es condición indispensable para que consiga levantarse es que las eleve por encima de la cabeza estirándolas el máximo posible. Si no lo consiguiese, podremos ayudarle y orientarle en la colocación de las manos sobre las patas de una silla o sobre el asiento desde la posición de rodillas, que ahora habrá adquirido para explorar el plano superior.

2 A partir de esta posición prestaremos atención a las piernas, las cuales servirán de impulso. Según la preferencia del niño, le ayudaremos a flexionar la pierna que lanza en un primer momento para apoyar el pie desde la posición de rodillas. Al principio este paso será difícil de ejecutar y producirá caídas a la posición de sentado. Con nuestro apoyo intentaremos estabilizarle sobre dicho pie y sobre la rodilla contraria durante los pocos segundos que se mantendrá antes de impulsarse hacia arriba y apoyar el otro pie. En esta fase le ayudaremos desde la pelvis y nunca desde los brazos, ya que no consiste en «tirar» de él, sino en acompañarle en el movimiento para motivarle a hacerlo.

Al principio el apoyo del pie se realiza con muy poca flexión de la cadera, dando un paso muy corto y haciendo gran parte del esfuerzo con los brazos. Aunque al principio siempre nos ajustaremos a la pierna que él elija de forma preferente, si vemos que se repite todas las veces, le estimularemos a que también se apoye en primer lugar sobre la otra rodilla.

3 Cuando la fase de puesta en pie se realice de forma espontánea y frecuente, será el momento de trabajar sobre la posición bípeda del niño desde la sujeción de las manos. Cuando haya llegado a esta nueva posición, se encontrará de espaldas al entorno y podrá jugar con los objetos que estén apoyados en los muebles más altos. Nuestra estimulación consistirá en jugar con el niño  desde atrás para desencadenar su necesidad de giro.
Esta rotación del cuerpo tendrá que ir aumentando al mismo tiempo que lo hace su interés por jugar con lo que le ofrecemos. Según lo permita su maduración, descubrirá que logrará girar más si suelta una mano. Nosotros provocaremos estos giros desde ambos lados para que los dos brazos tengan la experiencia de quedarse agarrados como responsables del equilibrio de todo el cuerpo.

4 El último ejercicio pretende quitar el apoyo sobre las manos para conseguir la bipedestación libre. Esta posición es estática, pero requiere un gran desarrollo del equilibrio. Como en los anteriores, no seremos nosotros los que quitemos las manos del bebé, sino que a través del juego le conduciremos a que lo experimente por sí mismo. Nos ayudaremos de un juguete más grande, como una pelota ligera, que deberá tomar con ambas manos si quiere abarcarla.

Insistiremos varias veces hasta que la prioridad del niño sea agarrar la atractiva pelota a costa de la seguridad en el apoyo. A pesar de las primeras caídas, con el tiempo descubrirá que puede mantenerse solo durante unos segundos antes de buscar la estabilidad con la pelota que nosotros sujetamos en un principio.
Posteriormente dejaremos la pelota libre una vez que la haya alcanzado para que el bebé sea completamente responsable de su estabilidad buscando el equilibrio en esta posición.

18 Caminar de lado

EL SIGUIENTE paso después de que el bebé consigue ponerse de pie es que camine. Sin embargo, antes de que empiece a caminar hacia el frente tendrá que hacerlo de lado. De esta forma entrenará por primera vez sus pasos, para lo cual tendrá que levantar un pie mientras mantiene el peso y el equilibrio sobre el otro. Aprenderá también a coordinarlos de forma rítmica y cíclica, con la ventaja de mantenerse seguro en la posición bípeda con la ayuda de los miembros superiores.

✓ Sabías que...

Si al principio le resultase muy difícil realizar cualquiera de ambos ejercicios, se agachará a gatear y llegará hasta el sitio donde está el juguete. Esto no debe preocuparnos y lo permitiremos para evitar su frustración, ya que es un mecanismo ingenioso que nos muestra su habilidad para resolver con éxito los problemas que se presentan.

LAS CONSECUENCIAS

Esta forma de caminar activará la musculatura lateral de las piernas y el tronco, que será fundamental en la futura forma de caminar cuando sea adulto, garantizará una correcta posición de la pelvis y también ayudará a la configuración del arco plantar del pie o puente. Es por ello fundamental que estimulemos a los niños a caminar lateralmente agarrados a los muebles antes de que se suelten para hacerlo agarrados de nuestras manos. Como veremos a continuación, el pequeño tendrá que aprender a coordinar de forma alternativa los brazos y las piernas para poder desplazarse de una forma correcta.

Utilizaremos para ello una mesa bajita o sofá donde el niño pueda agarrarse o apoyar las manos. En un primer momento este apoyo no podrá hacerse en la pared, ya que al ser vertical no aportará al bebé descarga alguna del peso.

Colocaremos al pequeño en la mitad del recorrido para que pueda elegir el lado en el que le interesan más los juguetes, asegurándonos de que la longitud del mueble le va a permitir dar tres o cuatro pasos. Una vez que esté firme y seguro en esta posición de pie (condición indispensable para este ejercicio), le mostraremos unos objetos que le gusten primero en un lado y luego en el otro.

✓ ¿Qué podemos hacer?

La marcha lateral se realiza de forma cruzada. La primera extremidad que avanza es el brazo más cercano al objeto para intentar alcanzarlo. Después lo hará la pierna más alejada, a continuación el otro brazo y, para finalizar, la pierna más cercana al juguete.

Cuando estire el brazo para intentar agarrar el objeto lejano, le desplazaremos nosotros pasivamente el pie contrario a ese lado acercándolo al otro. Esperaremos algunos segundos a que el bebé intente desplazar por sí mismo la otra mano y el pie. Si vemos que el niño no es capaz de adelantar las extremidades, le asistiremos alternativamente cada una de ellas, según el ciclo descrito, pero siempre dándole tiempo para que reaccione activamente. Cuando observemos que alguna de ellas le resulta más fácil y avanza por sí sola de forma espontánea, nos dedicaremos sólo a las otras tres y así progresivamente hasta conseguir una correcta coordinación entre las cuatro extremidades y el equilibrio del tronco. Esto se traducirá también en un aumento de la velocidad del desplazamiento.

Únicamente cuando el niño sea capaz de caminar hacia ambos lados de forma independiente en una trayectoria lateral rectilínea, incluiremos cambios de dirección. Para ello utilizaremos las esquinas de la mesa baja, que en un primer momento el niño no sabrá cómo sortear. Cuando llegue al final del recorrido, colocaremos el juguete que desea al otro lado de la mesa sin hacerle perder la motivación. Le ayudaremos en los primeros intentos de la misma manera descrita anteriormente, ya que no sólo nos necesitará para comenzar un nuevo reto de equilibrio y coordinación, sino que supondrá un nuevo concepto espacial por explorar.

19 Los primeros pasos

LOS PRIMEROS pasos se realizan a partir del año, pero todavía no son una completa forma de caminar. El bebé se atreve de forma espontánea a lanzarse de frente cuando está de pie para alcanzar un objetivo cercano. Sin embargo, no será capaz de pararse por sí mismo. Para conseguirlo debe desplazar hacia delante el centro de gravedad, que está en su posición más elevada desde hace tan sólo unos pocos meses. Para poder avanzar, el desplazamiento del centro de gravedad será muy brusco en un primer momento y las piernas se moverán automáticamente para tratar de recuperarlo e introducirlo de nuevo dentro de la base de sustentación.

LAS CONSECUENCIAS

Con el siguiente ejercicio intentaremos que este desplazamiento sea cada vez más sutil y esté acompañado de pasos controlados que ajusten el centro de gravedad y la base de sustentación a cada paso. Será entonces cuando el niño pueda empezar a caminar, parar, girar y volver a caminar sin ayuda del apoyo de los miembros superiores. Estas son algunas de las condiciones para que el niño consiga lo que se conoce con el nombre de marcha independiente o autónoma.

En esta época de maduración del bebé suele colocarse una persona frente a otra a poca distancia para que el niño vaya de una a otra. El ejercicio propuesto a continuación exige al pequeño una mayor motivación para hacerlo, debido a que no se ve «empujado» por nadie para que vaya hacia otra persona. La propuesta exige de nuevo la gran motivación e interés del

✓ Sabías que...

Si el niño llora cuando intentamos que ande, debemos dejarlo porque significa que siente miedo o frustración. Esperaremos unos días antes de intentarlo de nuevo.

niño por alcanzar sus deseos. Por ello comenzaremos con el niño aga-
rrado a una mesa de espaldas a nosotros, como partíamos de la etapa anterior, para poder construir el paso siguiente.

✔ ¿Qué podemos hacer?

Nos situaremos a un metro del niño aproximadamente con la
posibilidad de estirar los brazos para salvar la distancia en
caso de que fuese necesario. Como condición indispensable para la
ejecución de este ejercicio, el niño ya será capaz de girarse completamente y
quedarse apoyado sólo en una mano o incluso sin ayuda de ninguna durante algunos
segundos. Para ayudar a captar su atención, tendremos con nosotros un juguete muy
atractivo y a ser posible con estímulos auditivos para provocar la necesidad en el bebé
de darse la vuelta y tener que soltarse para verlo completamente y alcanzarlo. Si en un
primer momento no consiguiese organizar su cuerpo para poder soltarse, podemos
ayudarle utilizando un punto de apoyo fijo intermedio. Será útil una silla o un mueble,
pero nunca nuestra mano, ya que entonces seremos nosotros los que le aportaremos el
equilibrio pasivamente.

No debemos preocuparnos por las primeras caídas, ni por las dificultades del
inicio de este ejercicio. Después de varios días de intentos fallidos nos sorprenderemos
cuando el niño un día se suelte de forma espontánea. La maduración del sistema nervioso
central es progresiva y sucede de repente en su representación externa. Un día el bebé
no consigue realizar un ejercicio y al día siguiente lo hace de forma espontánea, sin que
apenas nos demos cuenta de que en realidad ha sido un lento proceso de desarrollo. De
nada sirve «empujar» al niño a hacer algo: los bebés no aprenden a caminar porque
nosotros les enseñemos agarrándoles por las axilas. El patrón de marcha ya está
programado genéticamente en nuestro sistema nervioso central, por lo que sólo hay que
estimular su desencadenamiento. Por ello es necesario realizar los ejercicios con
paciencia y a través del juego y la motivación. No importa si el pequeño no consigue
completar la actividad en los primeros intentos porque la clave es motivarle durante varios
días hasta que el estímulo de su maduración le haga realizarla por sí mismo.

20 La exploración y la comprensión del espacio

✓ Sabías que...

Durante este periodo todavía las dos formas de desplazarse conviven, hasta que caminar sea mucho más cómodo y rápido que moverse a cuatro patas. Ambas tendrán, por tanto, un papel fundamental durante el desarrollo de este segundo año de vida, donde el bebé dará un importante contenido mental a todos los movimientos que ha descubierto durante el año anterior.

EN ESTE momento el bebé tiene dos formas de locomoción a su disposición: en cuadrupedia mediante el gateo y sobre las dos piernas, gracias a que la marcha cada vez va siendo más autónoma.

En esta etapa descubrirá por qué y cómo debe moverse en función de los estímulos externos, pero sobre todo cómo le será más eficaz gracias a la combinación de las posiciones que ha ido descubriendo anteriormente. Estas posibilidades de interacción con el entorno le harán también descubrirlo y conocerlo cada vez más y no limitarse únicamente a los estímulos que recibía de forma pasiva en las etapas y ejercicios anteriores.

Necesitaremos un espacio más amplio para la realización de este ejercicio y con materiales más grandes que su propio tamaño, para lo que se puede utilizar objetos caseros exentos de potenciales riesgos. En esta etapa y en este ejercicio no prestaremos atención a los conceptos verbales, sino a la experimentación directa que manifiesta con los movimientos de su cuerpo.

Por ello, no guiaremos al niño con las cosas que queremos que haga (como puede suceder en los circuitos de psicomotricidad para niños más mayores), sino que pretendemos desencadenar una exploración libre y por su propia iniciativa. Nuestra función será guiar esta exploración, poniéndole delante las dificultades y despertando la motivación y el interés en el niño a través de diversos juegos. Descubrir cómo resolver cada una de las pruebas será el reto que le proponemos a su esfera motora y ahora también a la cognitiva.

✓ ¿Qué podemos hacer?

Le estimularemos a gatear por debajo de una silla o mesa bajita para alcanzar un objeto situado al otro lado. En un primer momento le supondrá un reto visual y de control de su propia cabeza para no golpearse al levantarla. Así entenderá cómo controlar el desplazamiento de los distintos segmentos corporales adaptándose a un espacio limitado, al mismo tiempo que desarrolla los conceptos de «por abajo» y «a través».

También le enseñaremos bonitos juguetes que seguidamente le colocaremos detrás de grandes objetos para que tenga que rodearlos. Le estimularemos a que los descubra desplazándose alrededor de un lado y otro. Una edad propicia para hacerlo es alrededor de los 18 meses. Para entender el concepto espacial «por encima» podemos utilizar una pequeña almohada que tenga que superar para alcanzar su objetivo.

De nuestra creatividad depende desarrollar actividades para subir y bajar escaleras gateando; cerrar y abrir puertas; meterse y salir de los sitios; girar sobre sí mismo y rodear las cosas; ir hacia atrás cuando no pueda darse la vuelta; agacharse o superar obstáculos, etc. Se trata de pequeños ejercicios de psicomotricidad que posteriormente se complicarán según el bebé crezca.

Tendremos en cuenta que la maduración y comprensión de este aprendizaje mejorarán a lo largo de todo este año y más adelante ayudándonos de otras funciones superiores, como el lenguaje, la lateralidad o el cálculo. Estos conceptos espaciales posteriormente tendrán que ser desplazados de una forma intuitiva y abstracta a través del lenguaje: arriba, abajo, dentro, fuera. Y para ayudarle será fundamental experimentarlo previamente con su propio cuerpo.

21 El equilibrio dinámico

EL EQUILIBRIO dinámico consiste en la capacidad que tiene el sistema nervioso central de recuperar el centro de gravedad dentro de la base de sustentación cuando éste se ha desplazado. Se llama dinámico porque va unido a cualquier forma de desplazamiento o locomoción que conlleva este tipo de mecanismo de equilibrio.

El aprendizaje inconsciente de esta capacidad empieza desde que el niño comienza a caminar y se va haciendo más complejo a lo largo de los años. Esto se debe a que a partir de los dos años la velocidad de la forma de caminar aumenta y también la variedad en las direcciones y los apoyos que realiza. Para tener un buen equilibrio dinámico es necesario contar con una correcta fuerza muscular y un buen esquema corporal.

✓ ¿Qué podemos hacer?

■ EJERCICIOS DE EQUILIBRIO DINÁMICO VARIANDO LA BASE DE SUSTENTACIÓN. Cuanto más pequeña sea la base de sustentación, más dificultades tendrá el niño para equilibrarse. En la marcha bípeda la base de sustentación es muy pequeña, pero podremos aumentar la

dificultad de los ejercicios pidiéndole que camine con los pies muy juntos varios metros. Si le resultase dificultoso entender la orden verbal, podemos utilizar dos cuerdas para trazar un pequeño camino de unos 20 centímetros de ancho y pedirle que no pise fuera de dicho camino. Con la misma cuerda podremos aumentar la dificultad al sugerirle a continuación que camine por encima de una de ellas, poniendo un pie delante del otro.

■ EJERCICIOS DE EQUILIBRIO DINÁMICO VARIANDO LA DIRECCIÓN DEL DESPLAZAMIENTO, LAS CADENAS MUSCULARES ACTIVAS, LOS APOYOS CORPORALES O LA POSICIÓN DEL CUERPO. Para realizar estos ejercicios necesitaremos un espacio más amplio, donde el niño pueda realizar unos diez pasos de cada ejercicio de forma rectilínea. El lugar ideal para llevar a cabo los ejercicios sería un pasillo. Comenzaremos pidiendo al niño que camine hacia delante de forma natural para que se familiarice con el entorno. Después empezaremos a complicar progresivamente el ejercicio estimulándole a que camine hacia atrás, ya que desde los 20 meses podrá hacerlo solo. A

continuación caminará hacia un lado y luego hacia el otro y cruzando los pies. También le podemos pedir que lo haga gateando, en cuclillas y sobre las puntas y los talones. Si queremos variar la estabilidad de los apoyos, utilizaremos una fina y blanda colchoneta donde la recuperación del equilibrio será más dificultosa en cualquiera de los ejercicios anteriormente descritos.

■ Ejercicios de equilibrio dinámico variando la velocidad de desplazamiento. Aunque podamos pensar que una mayor velocidad dificulta más el equilibrio, comprobamos que es lo contrario. Pediremos al niño que camine muy despacio manteniéndose sobre cada apoyo el tiempo que pueda. Como siempre y en busca de un ejercicio motivador y divertido, podemos utilizar para ello el ritmo de diferentes músicas. Del

mismo modo, lo repetiremos a una velocidad muy rápida e incluso todo lo deprisa que el niño pueda, según esté preparado por su edad.

■ Ejercicios de equilibrio dinámico variando la información sensorial que ayuda a su control. Para finalizar podremos variar otros elementos del entorno como la utilización de obstáculos que el niño tenga que superar de diferentes modos. Además, si eliminamos la información visual, el equilibrio se verá fuertemente alterado y tendrá que ser suplido por el resto de informaciones sensitivas, como la percepción de sí mismo. Le pediremos que camine con los ojos cerrados, utilizando como base los ejercicios descritos anteriormente.

22 El apoyo sobre un pie y la formación del puente

EL PUENTE del pie es como se conoce común-
mente al arco o bóveda del borde interno de la
planta del pie. En realidad el pie contiene tres arcos plantares: dos longitudinales (interno y externo) y otro transversal. Su formación comienza a
partir del segundo trimestre de vida, cuando ya
puede girar los pies y las manos. Sin embargo, y
debido a que el pie es un órgano que se ha especia-
lizado filogenéticamente en el apoyo del cuerpo,

sus bóvedas no estarán completamente conformadas hasta los tres años de edad aproximadamente. Su existencia tiene una función importantísima en la forma de caminar bípeda y
el equilibrio en esta posición.

De forma inconsciente, el bebé modela y conforma los arcos plantares de manera
progresiva mediante su desarrollo. Por ejemplo, sucede así cuando a los siete meses de
vida se agarra los pies con las manos para llevarlos a la boca o cuando camina de lado aga-
rrado a los muebles estimulando la musculatura lateral de los miembros inferiores.

Cuando el niño se pone de pie por primera vez al inicio del cuarto trimestre, el
apoyo del peso se hace con el pie metido hacia dentro debido a la falta de estabilidad del
arco interno. Esta posición tendrá que reducirse hasta llegar a un apoyo correcto a los tres
años.

LAS CONSECUENCIAS

Si no fuese así, surgirán los problemas de distinta gravedad, como pies planos, juanetes
u otras deformidades. Los ejercicios también son útiles en la recuperación de estas deformidades. Las plantillas o el uso de calzado adecuado son soluciones pasivas que no
trabajan directamente sobre la activación de la musculatura, sino en la corrección de la
postura. Si se ven reforzados por este tipo de actividad, su efectividad se verá aumenta-
da y mejorará la posición del pie también cuando se encuentre descalzo y sin ningún tipo
de ayuda.

Los ejercicios que se explican a continuación ayudan al desarrollo normal del pie
fortaleciendo las cadenas musculares.

✓ ¿Qué podemos hacer?

1 El apoyo monopodal, es decir, mantenido sobre un
solo pie, se desarrolla al mismo tiempo que la
bóveda plantar. Nuestro objetivo será hacer mantener al
niño esta posición durante cada vez más tiempo,
activando de forma coordinada las cadenas musculares
adecuadas. Para que podamos obtener este objetivo
de una forma lúdica, debemos pedirle al niño diferentes
ejercicios. Dar una patada al balón es un sencillo
ejemplo para los niños muy pequeños que todavía no
pueden descargar el peso sobre una sola pierna
alrededor del año y medio. Cuando son tan pequeños,
debemos enseñárselo por mimetismo y hacia los dos
años lo entenderán si le damos una indicación verbal.

2 Otros ejercicios son subir el pie a cajas de diferentes alturas, primero con ayuda
de los brazos y sin ellos a partir de los dos años y medio. Para poder pisarlas
tendrá que cargar el peso sobre un solo pie y elevar el otro. Al principio le resultará
dificultoso e incluso se caerá, pero poco a poco conseguirá mantener la posición
durante algunos segundos. También podemos animarle mediante imitación del adulto,
mostrándole por ejemplo cómo llevarse la rodilla al pecho o cómo tocarse el codo del
lado contrario. No debemos olvidar que deben realizarse de forma simétrica, aunque
insistamos más sobre el pie que tenga más dificultades de equilibrarse.

3 Algunas variaciones consisten en caminar cambiando el apoyo del pie. La
posición de puntillas ayudará a mejorar la posición del pie, ya que realizará un
giro diferente entre el antepié y el retropié. También le pediremos que camine sobre
sus talones o apoyando sólo ambos bordes internos o externos del pie. Será
importante que los ejercicios se realicen sin zapatos para activar la musculatura del
pie y mejorar la recepción sensitiva, siendo también un buen ejercicio caminar
descalzos. La forma más divertida de conseguirlo será a través de la música, las
canciones y la imitación del adulto que juega con el niño para practicar las diferentes
formas de caminar. Así después será más fácil la comprensión de la orden verbal.

23 El salto

LA CAPACIDAD de impulsarse y caer con ambos pies al mismo tiempo es una actividad que se puede realizar a partir de los tres o cuatro años. Más complejo será impulsarse desde un solo pie, lo que realizará cuando tenga más edad. Antes el niño mantendrá el apoyo sobre un pie u otro, cada vez de forma más duradera, y como consecuencia será capaz de realizar y controlar un mayor impulso en cada paso. Un niño es capaz de saltar con los pies juntos aproximadamente sobre los dos años.

LAS CAUSAS Y LAS CONSECUENCIAS

Estos ejercicios serán de difícil comprensión si no se realizan a través del juego y con unas pautas previas. Los estímulos llamativos y de colores ayudarán al niño a focalizarse en el objetivo y no tanto en la manera de llevarlo a cabo que nosotros le explicamos a través de un cuento. Para hacerlo lúdico le contaremos que tiene que saltar un río y no puede caer en el agua para no mojarse. Cualquier historia debe ser reforzada con un libro e ilustraciones que puedan ayudar a comprender el relato.

Como material utilizaremos tiras adhesivas de colores que podamos pegar y quitar del suelo para marcar las diferentes distancias. También podemos utilizar aros que el niño lance previamente y después tenga que alcanzar mediante un salto para caer dentro. De esta forma aprenderá también a autorregularse y a ser consciente de sus capacidades.

En un principio los ejercicios se realizarán de forma libre, pero progresivamente podemos ir pidiéndole al pequeño que coordine otras partes del cuerpo al mismo tiempo para que el salto sea más eficaz. De la misma manera que el resto de aprendizajes, se enseñará a través del juego a balancear los brazos y a moverlos hacia delante en el momento del impulso. Pero también podemos incluir en el juego más equilibrio pidiéndole que se mantenga en el sitio después del salto sin dar pasitos ni moverse del lugar donde haya caído.

✓ Sabías que...

Las variaciones y la dificultad de este ejercicio son muchas.
Podemos pedirle que dé saltos con el impulso de una pierna
para caer sobre las dos. También al contrario, con el impulso
de ambas piernas para realizar la recepción sobre una u otra.
También podemos pedirle ahora que salte desde abajo
hasta arriba, recordando que la altura no debe superar al
principio los cinco centímetros. Las posibles
combinaciones entre estos ejercicios darán más
variaciones.

✓ ¿Qué podemos hacer?

Comenzaremos con saltos verticales desde una pequeña altura y con ayuda de
nuestras manos para empezar a entender el mecanismo motriz. Poco a poco
iremos dejando que el niño lo realice con menos ayuda hasta soltarle sin que se dé
cuenta. Debe tratarse de una altura mínima, pero suficiente para que sea capaz de
desplazarse de superficie, a pesar de que el impulso que realice en un primer
momento no sea muy eficaz. Este ejercicio también servirá para irle corrigiendo el salto
con pies juntos, ya que al principio los niños no sabrán coordinar ambos al mismo
tiempo. Esto se debe a que las fases de impulso y paso al caminar son alternativas en
cada pie.

A continuación comenzaremos a saltar en el mismo plano, donde ahora el niño sí
que requerirá cada vez mayor fase de impulso. Le pediremos, por ejemplo, que cruce
un río imaginario hasta llegar a la otra marca de colores. Comenzaremos con saltos en
vertical, pero luego le cambiaremos progresivamente la dirección: primero hacia
delante, después hacia un lado y otro y, cuando ya lo tenga dominado, hacia atrás.

Cuando el niño crezca podemos incluir mayor dificultad con la coordinación de
los brazos y el salto al mismo tiempo usando el clásico salto con una cuerda. Si
además queremos retar al equilibrio y estimular el resto de receptores sensitivos, le
pediremos que realice los saltos con los ojos cerrados.

24 Las escaleras

SUBIR Y BAJAR escaleras es un proceso que el niño tardará varios años en madurar. Cuando es muy pequeño, utiliza el gateo para sortear este tipo de dificultades, pero siempre hemos de tener en cuenta que es más fácil subir que bajarlas.

Bajar las escaleras es más difícil que subirlas desde un punto de vista neurológico. Supone muchos más riesgos de caídas y un gran control del equilibrio y la contracción muscular mantenida progresivamente. Esto nos obliga a prestar una mayor atención y a realizar estos ejercicios con mucha precaución. Nunca exigiremos al niño más de lo que puede según su preparación motriz y no escatimaremos en ayudas si fuesen necesarias. De forma orientativa, sabemos que los niños pueden subir las escaleras con ayuda y peldaño a peldaño hacia los dos años. Los siguientes años el niño debe aprender a ser más independiente en este sentido.

✓ Sabías que...

Primero el niño aprenderá a subir y bajar las escaleras peldaño a peldaño. Será nuestro deber animarle a que lo haga adelantando alternativamente ambos pies, para que tenga experiencia con los dos miembros inferiores como punto de apoyo y de paso. Adaptándonos a la edad, al niño y a las escaleras, le enseñaremos a subir y bajar de forma alternativa, con un pie en cada peldaño.

LAS CONSECUENCIAS

Las escaleras en sí mismas ya suponen un gran estímulo y juego para los niños, que generalmente obligan a los adultos que hay a su alrededor a estar muy pendientes de ellos. Jugar con las escaleras no aumenta los riesgos, sino que ayuda a habituarse y, por tanto, a reducir las caídas del niño en caso de descuido. Podemos ayudarnos de sus juguetes situándolos en un extremo u otro de la escalera para llamar su atención. Nos podremos ayudar tanto de estímulos visuales como auditivos para mantener la atención y el interés constantes durante más tiempo.

✓ ¿Qué podemos hacer?

1 Para comenzar la exploración de las escaleras y hacer comprender su control espacial y coordinación, ayudaremos al niño a que las suba a cuatro patas. Sin embargo, no nos referimos al gateo clásico, sino con los cuatro apoyos sobre los órganos distales. Es decir, el niño apoyará los pies, pero se ayudará de las manos por delante para evitar las caídas y controlar el tronco. Intentaremos que coordine el movimiento de una forma cruzada, es decir, primero un pie y luego la mano contraria; después el otro pie y su mano opuesta. Así fomentaremos el patrón cruzado propio de cualquier locomoción del ser humano. Este ejercicio nunca lo realizaremos bajando, ya que es imposible para el niño soportar todo el peso del cuerpo sobre los brazos y podría golpearse la cabeza en cualquier caída indeseada.

2 A los tres años el niño ya está preparado para subir las escaleras, pero no para bajarlas. Antes de estimularle a hacerlo de forma independiente, le enseñaremos bajando de lado y ayudándose con la pared o la barandilla. Este ejercicio será más eficaz que hacerlo con nuestras manos, ya que nosotros supliremos pasivamente su desequilibrio y soportaremos su peso contra la gravedad. Si utiliza la pared, será como un paso intermedio entre ambos ejercicios. Por supuesto que nuestras manos podrán ayudarle desde el tronco en caso de necesidad y sobre todo en los primeros intentos. Cuando decidamos trabajar con el niño la subida frontal sin ayuda, es preferible que lo hagamos colocándonos a su espalda: si se cae hacia delante, podrá poner las manos, mientras que si cayese hacia atrás, lo haría encima de nosotros.

3 Para estimularle en la bajada comenzaremos con la misma progresión, es decir, primero de lado y agarrados a la barandilla. Cuando el niño ya es más mayor, comenzaremos la bajada frontal desde el primer escalón y nos situaremos sentados frente a él. Si ya es capaz de bajar un escalón, le subiremos al penúltimo y nosotros seguiremos sentados al final de la escalera, ya que bastará con extender nuestros brazos para salvar la distancia que nos separa en caso de que el niño tenga alguna dificultad. Luego pasaremos al tercero y así sucesivamente.

25 Correr

CORRER NO es lo mismo que andar deprisa. Aunque los niños comienzan a caminar cada vez más rápido, no alcanzarán una carrera más o menos coordinada hasta los tres o seis años. Mediante el ejercicio le estimulamos su desarrollo, que implica una fase de paso más larga y un impulso más fuerte con cada pierna. Los brazos también deberán participar de una forma coordinada con el resto del cuerpo a través de un movimiento suave. En poco tiempo habrá adquirido una gran destreza y seguridad, lo que le permitirá correr cada vez más rápido.

✓ ¿Qué podemos hacer?

1 Al principio será útil ejercitar al niño en la carrera libre, es decir, estimularle a que llegue cada vez más rápido a su objetivo sin prestar atención a cómo lo hace. Para ello serán recomendables los juegos de persecución. Para los niños pequeños será el tipo de ejercicio que más le motive, ya que les producirá grandes carcajadas verse perseguidos por un adulto. Observaremos que el niño corre de forma inmadura, descoordinado y, a pesar de sus intentos por dar pasos más largos, su velocidad será la misma. Apenas podrá despegarse del suelo y los miembros superiores no acompañarán el movimiento del cuerpo adecuadamente. Sin embargo, la idea de escapar para no ser alcanzado o de llegar rápidamente a los brazos del adulto podemos utilizarla como un primer ejercicio de introducción a la carrera ya a partir de los 20 meses aproximadamente.

2 Posteriormente le pediremos que corra con determinadas condiciones, que pueden ser saltando pequeños obstáculos, pisando algunas marcas, cambiando el ritmo, parando y volviendo a empezar rápidamente, cambiando la dirección y el sentido, entre otras.

3 Para la carrera serán más eficaces los juegos en grupo, con los que el niño aprenderá a correr por imitación y ante la necesidad de alcanzar a los otros. El juego de «tirar de la cola al burro» nos resultará muy útil, ya que con él no sólo trabajaremos la carrera en todas direcciones, sino que también podemos pararla y girar en cualquier momento. Para ello, ofreceremos a un grupo de niños varias cuerdas pequeñas que tendrán

que colocarse en la parte posterior del pantalón como si de la cola de un burro se tratase. Les situaremos a todos dentro de un espacio amplio, pero limitado. Cuando el adulto lo marque, todos tendrán que correr detrás de todos para tirar de la cuerda de los demás niños. Mientras recolectan el mayor número de cuerdas posibles cada uno, tendrán que estar atentos para proteger la propia. El niño que pierda su cuerda no podrá seguir jugando hasta el próximo turno, y ganará aquel que más cuerdas consiga obtener de sus compañeros. No estará permitido que ningún niño se apoye en la pared para proteger su cuerda, sino que tendrán que estar en constante movimiento por toda la habitación.

4 Una vez explorada la fase de carrera libre, podemos introducir mediante cuentos y pruebas diferentes grados de coordinación de la carrera. Le pediremos, por ejemplo, que salte por las piedras para no caer al río utilizando tiras adhesivas colocadas en el suelo. Variaremos la distancia entre las marcas separándolas cada vez más e incitándole a que lo haga más deprisa o compitiendo con otros niños. También

podemos ponerle diferentes objetos en las manos o una pelota que tenga que desplazar utilizando ambas manos con el objetivo de facilitar la coordinación de los distintos segmentos corporales durante la carrera: brazos, piernas y tronco.

5 Una vez conseguida una carrera eficaz y segura hacia delante, comenzaremos con la carrera hacia atrás teniendo en cuenta que siempre estará mucho más limitada y será enfocada a niños más mayores.

26 Coordinación de todo el cuerpo

A LOS TRES años de vida podemos considerar que el niño ya ha desarrollado grandes elementos básicos de la motricidad. Todavía tendrá que desarrollar muchas otras habilidades, pero utilizando los elementos básicos que han ido madurando hasta esta edad. A continuación se explican varios ejercicios cuyo objetivo es favorecer de forma simple la coordinación entre los miembros. Para ello podemos incluir combinaciones de movimientos alternativos, simétricos u opuestos entre ambos miembros superiores, entre ambos miembros inferiores, únicamente las extremidades de un lado del cuerpo o combinando de forma cruzada los brazos y las piernas.

✓ ¿Qué podemos hacer?

1 Un ejercicio de coordinación compleja entre ambos brazos es hacerlos girar en direcciones opuestas. Enseñaremos al niño el ejercicio para que lo realice por imitación, ya que una explicación puede resultar muy compleja. La posición inicial es con ambos brazos estirados por encima de la cabeza. Uno de ellos girará hacia delante y el otro hacia atrás siguiendo el mismo ritmo. Esto implica que se encontrarán arriba y abajo, pero los círculos que describirán tendrán sentidos opuestos. También intentaremos que el niño sea capaz de imitarnos al menos durante diez repeticiones.

2 Pediremos al niño que primero salte abriendo y cerrando las piernas. En cada salto cambiará la posición de las piernas de separadas a pies juntos. Cuando lleve unas cinco repeticiones, le pediremos que realice con los brazos el movimiento contrario. Es decir, cuando sus piernas se encuentren juntas, sus brazos quedarán en forma de cruz y en el siguiente salto, cuando sus piernas estén separadas, deberá juntar ambas palmas por encima de la cabeza. Durante todo el ejercicio los brazos y las piernas

permanecerán estirados. Le animaremos a repetir la
secuencia hasta que sea capaz de realizar unas diez
repeticiones seguidas.

3 Para combinar ambos lados del cuerpo, pediremos
al niño que camine como si de una marcha militar
se tratase. Deberá adelantar la pierna y el brazo del
mismo lado a la vez. La deambulación se repetirá en dos
tiempos, primero brazo y pierna derechos y luego brazo
y pierna izquierdos adelantados. El niño deberá caminar
de esta forma recorriendo al menos 20 metros sin perder
la coordinación entre ambos hemicuerpos.

4 Otra variación de ejercicios de coordinación
durante la marcha puede incluir los brazos y las
piernas de forma cruzada y con movimientos
diferentes. Las piernas seguirán un ritmo alternativo
normal mientras que los brazos se desplazarán juntos
hacia un lado u otro. Con la pierna derecha
adelantada, el niño tendrá que desplazar ambos
brazos hacia la izquierda; y con la pierna izquierda adelantada deberá hacerlo hacia
la derecha. El ejercicio consiste en realizar la secuencia durante varios metros sin
equivocarse de direcciones.

5 Para coordinar ambos pies podemos ayudarnos de los ejercicios de salto. Para
ello, el niño ya tiene que ser capaz de saltar de forma madura y eficaz.
Situaremos una fina cuerda en el suelo y le pediremos que se sitúe a uno de los
lados. A continuación solicitaremos que salte con el pie más cercano a la cuerda y
que caiga al otro lado de ella cayendo sobre el pie contrario. La secuencia debe
repetirse a un ritmo cada vez más rápido, convirtiendo los saltos en rebotes seguidos.
Lo importante es que el pie que apoya sea el contrario al del lado de la cuerda en
que caemos. Si deseamos hacer más complejos los ejercicios, podemos incluir
elementos externos, como pelotas o cuerdas, que ayuden a combinar las distintas
partes del cuerpo.

27 El equilibrio estático

EN TODOS los ejercicios hemos descrito movimientos cada vez más complejos con respecto a los de etapas anteriores. Intuitivamente solemos pensar que lo más difícil para el ser humano es moverse. Sin embargo, estarse quieto es una actividad muy compleja que requiere de un gran equilibrio y actividad muscular. Un ejemplo claro es cuando los niños empiezan a caminar: las piernas se mueven sin dificultad, pero luego no detenerse pararlas y equilibrar su tronco, por lo que se caen en el suelo o en brazos de sus padres.

LAS CAUSAS Y LAS CONSECUENCIAS

El equilibrio estático, por contraste con el dinámico, consiste en el mantenimiento del centro de gravedad dentro de la base de sustentación cuando estamos parados. El término «quietos» es muy relativo porque hace referencia

a que no nos estamos desplazando en cualquier tipo de locomoción, pero realmente nos es imposible estar completamente inmóviles. Por ejemplo, la respiración, el bombeo del corazón o el flujo sanguíneo son movimientos que nos desestabilizan constantemente.

El sistema nervioso central tiene que estar en continuo movimiento para evitar que nos caigamos por una inadecuada contracción muscular de mantenimiento o un desajuste del centro de gravedad dentro de la base de sustentación. Todos estos mecanismos internos son completamente inconscientes para nosotros, ya que por regla general sólo prestamos atención a lo que sucede en el mundo exterior. Se puede decir que lo consciente es el objetivo, mientras que lo inconsciente es el movimiento.

✓ Sabías que...

Este constante ajuste de la postura se verá complicado con el movimiento de las extremidades para realizar cualquier actividad: agarrar cosas, escribir, aplaudir, dar una patada o cualquier otro ejemplo que se nos ocurra. Todo el tono muscular del cuerpo se tiene que distribuir de diferente manera según la actividad que se realice para que no nos caigamos. Por ejemplo, si sujetamos una caja pesada con nuestros brazos, los músculos extensores del cuerpo tendrán que activarse fuertemente para evitar que nos caigamos hacia delante.

✓ ¿Qué podemos hacer?

Como ya sabemos, cuanto más elevado se encuentre nuestro centro de gravedad, más dificultades tendremos para garantizar nuestro equilibrio. Por ello comenzaremos con ejercicios en posiciones más bajas y después iremos elevando la postura del niño. Además de la siempre eficaz imitación, podemos utilizar música para hacer que el juego sea más atractivo a los pequeños. Una divertida manera de empezar es que cuando la música se detenga, tendremos que mantener la postura que el adulto haga hasta que la música vuelva a empezar. La

serie de ejercicios que se explica a continuación también se puede realizar con música de fondo para no perder el carácter lúdico de los mismos:

1 Comenzaremos con la posición a cuatro patas, levantando primero un brazo y luego el otro. Después le tocará el turno a las piernas, primero una y luego la otra. Entre cinco y diez segundos con cada extremidad elevada del apoyo será suficiente.

Para que el niño no se aburra haciendo los ejercicios, se puede poner música.

Posteriormente combinaremos el estiramiento de un brazo y la pierna contraria, para después invertir la posición con los miembros que se han quedado como puntos de apoyo. Si no está cansado, es bueno que repita este ejercicio varias veces.

2 Después será el turno de las articulaciones, como es el caso de los hombros, para lo cual se debe modificar la posición de los brazos. Mantendremos los brazos varios segundos en cruz; luego giraremos la cintura hacia un lado u otro; los llevaremos delante o uno delante y otro atrás; o bien uno arriba y otro abajo, o ambos en la misma dirección. Después le enseñaremos algunas variaciones realizadas con las articulaciones de las rodillas doblándolas y estirándolas varias veces seguidas.

3 Llegados a este punto, podemos complicar todavía más la serie de ejercicios. Ahora realizaremos las posiciones «de caballero»: apoyados únicamente sobre una rodilla, de pie con los pies juntos, en bipedestación normal, saltando en el sitio o con el apoyo de un solo pie.

Existen muchas variaciones que podemos combinar para el mantenimiento de todas estas posturas, que consisten en cambiar la superficie sobre la que nos apoyamos. La consistencia de la superficie sobre la que se trabaja debe ser lo suficientemente dura para que no perdamos el equilibrio; las superficies demasiado blandas, como un colchón, no resultan apropiadas para realizar ningún tipo de ejercicios.

Estimulación sensorial

A través de los sentidos, que siempre producen
intensas sensaciones, se pueden realizar divertidos
y a la vez útiles ejercicios que favorecerán el adecuado
desarrollo del pequeño

28 Provocar sonidos con los juguetes

A PARTIR del cuarto trimestre de vida es normal que el bebé comience a tirar todos los objetos que le ofrecemos. Antes de comenzar a explorar los objetos por sus características propias, el niño pasa por una fase de exploración de la relación de dicho objeto con el medio.

Le interesa ver los juguetes caer y que volvamos a dárselos. Aprende a verlos desaparecer y aparecer, empieza a entender el efecto de la gravedad de la Tierra sobre todos los cuerpos, su peso y su velocidad de caída, dependiendo de lo que tarden en llegar hasta el suelo. Pero además comenzará a darse cuenta de que algunos de ellos producen ruido y lo más importante para él es que todo ello llama la atención del adulto. Provocar sonidos será un inicio básico de comunicación para que el niño entienda qué efecto provoca sobre el resto de personas que le rodean.

Por todo ello, no debemos regañarle ni reprimir estas conductas durante este periodo, sino ayudarle a explorar mediante los siguientes ejercicios propuestos. Por supuesto que tanto las etapas de golpeteo como la de tirar los objetos deben desaparecer en unos meses y, en caso de que persistiesen, debemos consultar a un especialista.

✔ Sabías que...

También podemos utilizar juguetes que nos sirvan de comunicación y que el bebé tenga que aprender a activar para provocar los sonidos. Cuando el niño es muy pequeño, lo más útil serán los sonajeros y demás juegos que suenen mediante el movimiento rítmico de la mano. Con ellos el bebé no sólo aprende a coordinar y utilizar sus manos, sino también de forma empírica descubre el mecanismo de causa y efecto.

✓ ¿Qué podemos hacer?

1 Comenzaremos utilizando sus propias manos para provocar los sonidos. Le enseñaremos a golpearlas entre sí a modo de aplauso, pero también sobre diferentes objetos. Podemos utilizar superficies duras de madera o blandas, como pelotas, con el objetivo de encontrar diversos sonidos que puedan atraer la atención del pequeño.

2 De forma casera podemos fabricar diferentes sonajeros, utilizando cajas de diversos materiales, como plástico, metal o cristal, que rellenaremos con legumbres, arroz, objetos metálicos o canicas. Existen instrumentos musicales en el mercado adaptados al juego del niño entre los que encontramos pianos, xilófonos, platillos, triángulos, guitarras, arpas, tambores, silbatos o flautas. Si se trata de instrumentos de percusión, enseñaremos al niño a golpear con toda la mano o con el dedo índice, dependiendo de la precisión requerida.

Le mostraremos la correcta utilización de los juguetes. En el caso de los instrumentos de cuerda o viento requeriremos un poco más de tiempo para su comprensión. Para que el niño lo incorpore como un divertido juego, lo más eficaz será que éste nos imite y toque junto con el adulto de forma aleatoria como si de una orquesta se tratase. Después de algunos días entregaremos al niño los instrumentos para valorar si se acuerda de cómo funcionaban y cuál le gustaba más.

Golpear objetos o juguetes es una forma de comunicación.

3 Cuando estemos tocando instrumentos musicales, es aconsejable que bailemos de una forma sencilla para que su sentido del ritmo se desarrolle y sus movimientos corporales adquieran cada vez una mayor coordinación.

29 Emisión de sonidos

ANTES DE la producción del lenguaje oral propio de cada idioma, todos los niños se divierten vocalizando sonidos de forma aleatoria.

LAS CONSECUENCIAS

Mediante estos ejercicios pretendemos orientar las primeras fonaciones no estructuradas que realiza el bebé desde los pocos meses de vida. No se trata por tanto de enseñar palabras al niño, sino de entrenarle en la ejecución controlada de los sonidos que más le gusten. Las palabras son signos acústicos que tienen un significado que puede ser real o abstracto. Pero nosotros podemos empezar a jugar con los sonidos y el bebé mucho antes de que éste aprenda a hablar. Existe una gran relación entre la comprensión y la emisión del lenguaje, pero en esta etapa trabajaremos mediante la imitación de sonidos. Esta labor también será

Sabías que...

Desde el segundo trimestre es muy útil situarnos frente al bebé, a unos 30 centímetros de su cara. De esa forma el pequeño podrá observar nuestra boca al mismo tiempo que escucha los sonidos. Le llamará la atención nuestra posición labial, el movimiento de la lengua, el soplo y la mímica facial que acompañan lo que le decimos.

muy importante para la comunicación que se inicia desde el parto y continúa, con variaciones, a lo largo de toda la vida del ser humano.

El bebé disfrutará escuchando al adulto que le habla o canta, así como con los ruidos ambientales. Desde el primer trimestre el bebé producirá gorjeos, disfrutando también de escucharse a sí mismo. Es muy frecuente observar a las abuelas que de forma intuitiva repiten sencillas palabras a sus nietos imitando los sonidos que ellos mismos hacen de forma natural. Es el ejemplo de palabras que habitualmente repiten los bebés que comienzan a gorjear.

✓ ¿Qué podemos hacer?

1 Repetiremos de forma prolongada el sonido de las vocales marcando de forma exagerada la posición de la boca. Este ejercicio no consiste en enseñar al bebé los sonidos por repetición, sino en conquistar su sonrisa con ellos hechos de forma rítmica. No podemos olvidar que el sonido resultará aburrido e ineficaz sin una expresión facial divertida y atrayente para el niño. Mostraremos una gran alegría cuando el bebé provoque cualquier tipo de sonido. Verá así recompensado su esfuerzo y le animaremos a provocar más sonidos. Además de observar la reacción del adulto, también le gustará escucharse a sí mismo.

2 En el tercer trimestre de vida podemos realizar el mismo ejercicio anterior, pero introduciendo sonidos repetitivos de algunas consonantes. A esta edad el bebé comienza con las repeticiones y puede imitar sonidos como «ma-ma-ma», «pa-pa-pa», «te-te-te», «da-da-da».

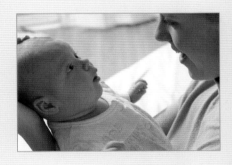

3 A partir de los 14 meses practicaremos los sonidos de animales identificándolos con ellos. A modo de onomatopeya reconoceremos la imagen de los animales más comunes: el perro, el gato, el tigre, el elefante, el burro, el gallo, la oveja y la vaca. Para reforzarlo podemos ayudarnos de fichas con dibujos, fotografías, vídeos o juguetes con formas de animales. También podemos realizar algún gesto típico de esos animales.

4 Posteriormente iremos introduciendo sencillas palabras durante el juego para que el niño las repita. Nos ayudaremos para ello de cuentos, fotos, ilustraciones u objetos cotidianos con los que el niño está familiarizado: agua, pan, galleta. De manera orientativa sabemos que el niño al año y medio tiene un vocabulario de cinco palabras aisladas, primero de una sílaba y luego de dos. A los dos años imitará palabras de tres sílabas y construirá frases de dos palabras.

30 Jugar con el masaje

✓ Sabías que...

El masaje infantil aporta al bebé numerosos beneficios, entre ellos, alivia los trastornos digestivos típicos de los bebés (cólicos, gases, estreñimiento...); favorece el aparato locomotor; beneficia el desarrollo de órganos y las funciones vitales; induce al descanso; potencia el desarrollo psicológico, y mejora las relaciones con el mundo que le rodea y que está descubriendo.

EL MASAJE es un ejercicio ideal para realizar con el bebé porque le aportará un gran número de beneficios. Le ayudará a relajarse, al proporcionarle sensaciones de bienestar y favorecerá el vínculo con los adultos que le rodean. Las sensaciones táctiles y sensitivas en general le ayudarán a tener un mejor conocimiento y percepción del propio cuerpo, lo que colaborará en su desarrollo y aprendizaje. También disminuirá el dolor y favorecerá el riego sanguíneo.

Además, la aplicación del masaje a un bebé es muy sencilla, ya que debemos utilizar muy poca intensidad con nuestras manos; en algunos casos se tratará de caricias, nunca ejercidas con una presión fuerte. Deslizaremos toda la palma y los dedos directamente sobre la piel del bebé, para lo que también podemos utilizar aceites adecuados, si así lo deseamos.

Antes de empezar colocaremos al bebé desnudo y tumbado en una toalla limpia o directamente en nuestro regazo. El ambiente tiene que ser cálido, evitando que el niño pueda pasar frío al permanecer sin ropa durante los diez minutos que de forma aproximada durará la aplicación. Asimismo evitaremos que se enfríe si frotamos previamente nuestras manos para calentarlas, con o sin sustancias lubricantes.

✓ ¿Qué podemos hacer?

Antes de iniciar esta sesión de sencillos masajes, conviene que nos frotemos intensamente las manos para que no estén excesivamente frías porque la piel de los bebés es muy sensible:

1 Comenzaremos con el bebé boca arriba y masajearemos el pecho horizontalmente. Desde el centro o esternón nos deslizaremos alternativamente hacia cada hombro del mismo lado que nuestra mano. Imaginaremos que queremos alisar y estirar suavemente la piel. Después pasaremos al abdomen, dibujando círculos cada vez más amplios alrededor del ombligo. Para combinar el masaje en pecho y abdomen, trazaremos a continuación diagonales alternativas desde una cadera al hombro contrario y viceversa, también invirtiendo la dirección desde los hombros a las caderas opuestas.

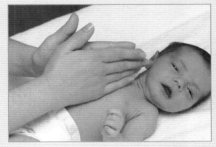

2 Para el masaje en el brazo, utilizaremos nuestra mano en posición circular para abarcar toda la superficie de la piel al mismo tiempo, pero siempre sin apretar. Nos deslizaremos desde la muñeca hasta el hombro, primero en un brazo y luego en el otro. Finalizaremos con las manos, para lo que emplearemos nuestros dedos pulgares, que describirán movimientos circulares alternativos. Le encantará que comencemos con la palma y nos deslicemos hasta las yemas de cada uno de los dedos abriendo la mano completamente. Realizaremos la misma técnica esta vez cubriendo toda la superficie del dorso de la mano.

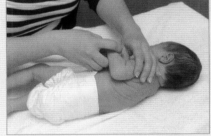

De una misma pasada recorreremos desde las muñecas hasta los codos lentamente, para favorecer la relajación y las sensaciones de bienestar.

3 La aplicación en los miembros inferiores es similar a los superiores. Comenzaremos con el deslizamiento hacia el centro del cuerpo para favorecer el retorno sanguíneo de forma circular. Será el turno de las piernas, las cuales

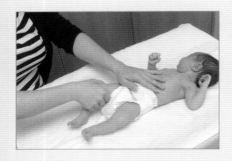

masajearemos igual que los brazos. En cuanto a los pies, comenzaremos por la planta utilizando las yemas de ambos pulgares. No olvidaremos los dedos, los pliegues entre ellos y el dorso o cuello del pie.

Con motivo de molestar al bebé lo mínimo posible, sólo le cambiaremos de postura una vez durante el masaje. Ahora le posicionaremos boca abajo para aplicar nuestras manos sobre su espalda.

4 Repetiremos las técnicas aplicadas horizontalmente sobre la cara ventral. Comenzaremos desde la parte superior de la columna vertebral, colocando una mano a cada lado de ella. Cada mano se deslizará

hacia fuera en direcciones opuestas. Progresivamente descenderemos por toda la espalda hasta llegar a los glúteos, repitiendo el mismo masaje. También podemos añadir rozamientos superficiales en direcciones verticales hacia arriba y hacia abajo, y por último en diagonal. Únicamente debemos ser precavidos para evitar presionar la columna vertebral en exceso.

5 La cara y la cabeza también pueden ser masajeadas. El cráneo del bebé está en constante crecimiento y remodelación, por lo que la presión será mínima. El deslizamiento por la piel se realizará horizontalmente por la frente, los pómulos, los carillos y el cuello. Evitaremos las zonas de desencadenamiento reflejo en los recién nacidos, como la región de alrededor de la boca o su interior, o zonas molestas,

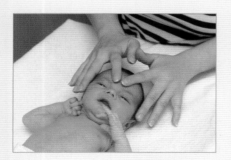

como en las proximidades de los ojos. Para la cabeza y el pelo podemos utilizar suaves cepillos o las yemas de nuestros dedos largos recorriendo toda la superficie cutánea describiendo movimientos circulares.

Bastará con cinco a diez pasajes de cada ejercicio, según la tolerancia a los mismos que demuestre el niño.

31 La imagen y el esquema corporal

CUANDO SOMOS bebés no somos conscientes de las características propias de nuestro cuerpo. No conocemos sus límites, sus formas, ni las partes que lo componen. Poco a poco descubriremos todas sus propiedades y, por supuesto, cómo se mueve y cómo utilizarlo para conseguir los objetivos que nos interesan. El propio conocimiento del cuerpo se va realizando de forma inconsciente y gracias a las sensaciones internas que el cerebro recibe desde el nacimiento.

La toma de conciencia del propio cuerpo va más allá del mero aprendizaje del nombre de cada una de sus diferentes partes. La mayoría de los autores diferencia con distintos nombres desde la percepción más básica hasta la integración más compleja del cuerpo en la mente humana. Podemos decir que la imagen corporal hace referencia a las percepciones subjetivas que tiene cada individuo de su propio cuerpo, donde también se incluye la esfera emocional. El esquema corporal se refiere a las habilidades de cada persona en cuanto al control de su propio cuerpo se refiere, teniendo más que ver con los aspectos cognitivos, la representación de la estructura corporal, el espacio, la postura o el movimiento. Por último, el concepto corporal habla de la identificación y el nombramiento.

LAS CONSECUENCIAS

Durante el primer año de vida el bebé va adquiriendo una imagen corporal y unas habilidades motrices básicas propias del ser humano. La prensión, la posición bípeda y el inicio del lenguaje oral son tres características propias y específicas del hombre que ya encontramos al año de vida, aunque no con todas sus capacidades completamente desarrolladas. Por tanto, el cerebro del bebé ya recibe a esta edad, y gracias también a las experiencias motrices anteriores, muchos datos sobre las posiciones que pueden adquirir sus músculos o articulaciones, por ejemplo. En este periodo el bebé también va incorporando a su esquema corporal las partes de su cuerpo que va tocando y alcanzando según la edad. Cuando está boca arriba y a partir del segundo trimestre de vida, se tocará las manos y luego el tronco; sobre los cinco meses alcanzará los genitales y los muslos; más tarde se agarrará los pies e incluso se los llevará a la boca, como hemos visto anteriormente.

Con este ejercicio comenzaremos a trabajar durante el segundo año de vida la integración y conceptualización básica de su cuerpo. Potenciaremos este autoconocimiento y sus habilidades, pero en este caso trabajaremos las partes del cuerpo de manera consciente. De esa forma el bebé aprenderá a integrar las sensaciones internas con los conceptos, funciones y connotaciones culturales de su cuerpo. Posteriormente, esto será útil para mejorar y facilitar un conocimiento más complejo de la imagen y del esquema corporal y, como consecuencia, se aumentarán las potencialidades motriz, cognitiva y afectiva.

Sabías que...

Como es lógico, estos ejercicios irán fuertemente unidos a los ejercicios lingüísticos de comprensión y ejecución oral. Debido a ello, al principio de esta etapa nos centraremos en la comprensión del bebé cuando nosotros nombramos las partes; posteriormente solicitaremos que el bebé las nombre cuando las señalamos. De forma orientativa y para no exigir demasiado al niño, sabemos que alrededor de los 15 meses ya puede identificar dos partes básicas del cuerpo. Cuando llegue a los dos años, ya conocerá seis o siete aproximadamente.

✓ ¿Qué podemos hacer?

Para que el niño conozca e identifique las partes de su cuerpo, basta con seguir estos ejercicios:

1 El primer ejercicio consistirá en colocarlo desnudo delante de nosotros y señalarle las diferentes partes del cuerpo al mismo tiempo que decimos el nombre alto y claro. Para hacerlo de forma lúdica, podemos acompañar el juego de una pequeña melodía o aprovechar los momentos del baño o el cambio de ropa. Únicamente incluiremos los segmentos corporales básicos y generales: la cabeza, los brazos, las manos, la tripa, las piernas y los pies. En cuanto a la cara, incluiremos el pelo, los ojos, las orejas, la nariz y la boca. Esta secuencia posteriormente se hará más compleja, dependiendo de la demanda del niño.

2 Como segundo grado de dificultad, en el siguiente ejercicio le pediremos a través de una indicación verbal que se toque las distintas partes del cuerpo que le nombramos. En un primer momento podemos reforzarle señalándonos sobre nosotros mismos para que él pueda ir identificando la palabra con ayuda del estímulo visual.

Según crecen el conocimiento del cuerpo les ayuda en su desarrollo.

Con el tiempo iremos retirando este apoyo hasta que consiga acordarse de todas las partes básicas y llegue a comprender el concepto de «otra». Es decir, al mismo tiempo incluiremos ambos lados del cuerpo: una mano y la otra, un pie y el otro. Lo que en ningún momento retiraremos será el juego, ya que no se trata del aprendizaje de una lección, sino de un verdadero entretenimiento. La música y las canciones que incluyen en sus textos diferentes partes del cuerpo son un verdadero aliado.

32 Jugar con el espejo

CONOCER NUESTRO propio cuerpo es esencial para conocer el resto del mundo que nos rodea. Los niños construyen una representación de sí mismos en función de su relación con otras personas y el mundo. Pero además las percepciones sobre el ambiente que nos rodea las realizamos siempre basándonos en nuestro propio cuerpo. Por tanto, el bebé no podrá aprender a percibir el mundo si no tiene perfectamente asumidos de forma completa el conocimiento y el funcionamiento de su cuerpo. Este esquema se irá conformando en el ser humano con la maduración establecida genéticamente y la experiencia.

En el segundo trimestre de vida los sistemas aferentes de las sensaciones comienzan a integrarse y por tanto se inicia el proceso mental del «yo» y «el mundo» como entes separados. Hasta los dos años los aspectos de la imagen corporal estarán fuertemente unidos a la esfera emocional del niño con un control motor todavía no completo. Sólo a partir de los tres años el niño tendrá una visión del cuerpo cada vez más global, siendo capaz de nombrar todas las partes del mismo y relacionarlas entre ellas como parte de un todo.

LAS CONSECUENCIAS

Ya hemos visto cómo ejercitarse para que el niño desarrolle su imagen, su esquema y sus conceptos corporales. También podemos ejercitar estos aspectos subjetivos, cognitivos, emocionales y anatómicos con el espejo. Al mismo tiempo y a partir de estos nuevos ejercicios trabajaremos las referencias externas a partir del «yo» que

✓ Sabías que...

Para jugar con el espejo, en un primer momento dejaremos al bebé explorar libremente para observar sus reacciones. Dependiendo de su edad y madurez, podrá reconocerse a sí mismo, a otro adulto o simplemente divertirse observando el movimiento. Le haremos observar el ambiente, lo que ocurre a su alrededor, con objetos de colores. Le señalaremos a él y al espejo diciendo su nombre en voz alta, de la misma forma que haremos con nosotros mismos y nuestro reflejo. También le mostraremos los juguetes que le gusten directamente para después señalárselos a través del espejo.

se está creando. Por supuesto, todos estos aprendizajes serán inconscientes y estarán basados en las experiencias del individuo, por lo que nosotros podemos ayudar a su desarrollo mediante los ejercicios frente al espejo.

✓ ¿Qué podemos hacer?

1 Después de la experimentación libre colocaremos al niño frente al espejo y, mediante divertidos juegos y canciones, le preguntaremos o incitaremos a que se toque cada parte del cuerpo. Una vez que lo haya aprendido, le pediremos que señale por ejemplo su oreja en el espejo; le enseñaremos también que existe una en cada lado del cuerpo, ya sea en su persona o en su reflejo.

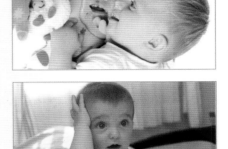

2 A continuación le pediremos que nos toque a nosotros la zona que le nombramos, por ejemplo, nuestro ojo. Cuando ya domine la localización de las diferentes partes del cuerpo sobre la otra persona, le solicitaremos que lo haga señalando al espejo. En un primer momento no es importante la precisión en el espejo de la zona que señala, sino que perciba como diferentes su propia imagen, la del adulto que juega con él y la de sus correspondientes reflejos.

3 La complejidad de los ejercicios puede aumentar con nuestra creatividad, integrando además otros factores, como la memoria, para lo cual esconderemos los objetos mostrados en el espejo para que el niño los encuentre en el espacio real. También podemos trabajar la coordinación y el juego simbólico basándonos en el control espacial, pidiéndole que alimente a un muñeco. Primero deberá acercar la cuchara a la boca del muñeco, después a él mismo, a nuestra boca y por último al muñeco del espejo. Por supuesto que todas estas coordinaciones influirán en función de su edad y la evolución del resto de conceptos y áreas cognitivas.

33 La permanencia del objeto

CUANDO SOMOS bebés hasta el tercer trimestre de vida aproximadamente el mundo de los objetos depende directamente de la relación con ellos. Si los objetos o las personas no están presentes, el niño es incapaz de tener una imagen mental de ellos. Simplemente no existen porque no los puede recordar, su memoria no guarda una imagen clara de ellos, a pesar de que cuando los tiene delante le gustan. Cuando vuelven a aparecer, comienza su existencia hasta su nueva desaparición.

La aparición del objeto mental como elemento cognitivo del niño se sitúa alrededor de los ocho meses de vida, aunque varía levemente según los diferentes autores. Este periodo coincide con la independencia del bebé en su movimiento, cuando ya es capaz de voltearse hacia ambos lados e incluso empieza a gatear.

√ Sabías que...

En esta etapa existen muchos juguetes apropiados para que el niño agudice su capacidad de observación. Como ya se ha comentado, las formas y colores son las primeras características de un objeto en las que se fija el bebé. Por eso son muy apropiados, por ejemplo, los móviles con colores y música en su cuna; los juguetes que ruedan, como las pelotas; un tentetieso con sonido, etc.

LAS CONSECUENCIAS

Antes de este proceso, el niño reconocía al adulto que se ocupa de su cuidado, pero no sentía su falta de forma tan intensa ni extrañaba a otros adultos nuevos que se le acercaban. Sin embargo, a partir de este momento sí es capaz de evocar la imagen mental de quien le cuida cuando falta, provocando su llanto. Del mismo modo, elegirá a las personas con las que quiere o no quiere ir según las conozca, y no tolerará estar con personas desconocidas en ausencia de su cuidador. Antes no tenía juguetes preferidos y se conformaba con los que se le ofrecían si le entusiasmaban. Después de los ocho meses comenzará a demandar sus juguetes preferidos cuando no los ve porque ya es capaz de recordarlos y distinguir con cuáles disfruta más. En esta capacidad de evocar mentalmente las cosas conocidas y en su búsqueda se basan los siguientes ejercicios propuestos.

✓ ¿Qué podemos hacer?

1 En el tercer trimestre comenzaremos con sencillos juegos de escondite. Debemos recordar que al principio el niño tiene que ver dónde van a parar las cosas para poder entender dónde ir a buscarlas. Cuando esté jugando con una pelotita y caiga a una corta distancia del niño, lo cubriremos con un pañuelo. Para que no pierda el interés, le hablaremos al niño de la pelota preguntándole dónde se ha ido. Esperaremos a que el niño se acerque al pañuelo e intente descubrir cómo liberar el juguete. Podremos ayudarle, descubriendo y volviendo a cubrir rápidamente el objeto.

Repetiremos el ejercicio las veces que sean necesarias y en diferentes días hasta que el niño consiga entender cómo devolver su juguete al mundo de los objetos presentes.

2 Alrededor del año, utilizaremos un pañuelo más grande para cubrir su propia visión y que descubra cómo quitarse el pañuelo de la cabeza para volver a su mundo cotidiano. Aprovechando este tipo de juegos, esta época será la idónea para introducir los juegos de esconderse. Estos juegos consisten en diferentes secuencias: el adulto comenzará tapándose los ojos con sus propias manos, y esperará a que el niño se las retire para poder volver a verle los ojos; el adulto reforzará positivamente esta acción con un divertido sonido. Posteriormente animaremos a que sea el niño el que tape su propia cara con las manos y, después de mantener la espera por algunos segundos, que nos muestre de nuevo su cara buscando nuestra provocada sorpresa. Este periodo se incrementará durante cada vez más tiempo y el niño podrá incluir los sonidos que imita del adulto al descubrirse.

3 Las variantes más complejas del juego consisten en ocultar objetos en diferentes lugares de una habitación. Cambiaremos el lugar de escondite varias veces, esperando que el niño recuerde el último lugar y se desplace hacia allí. Comenzaremos siempre con el control visual constante del objeto por parte del niño hasta que lo consiga hacer mediante una indicación verbal, cuando nosotros le contemos dónde está escondido su juguete preferido. Otra posibilidad es esconder pequeños objetos debajo de vasos opacos, comenzando únicamente por dos y luego por tres o más. Se puede afirmar que a partir de los 15 meses el niño ya estará preparado para buscar sistemáticamente los objetos debajo de las cosas.

34 El golpeteo

CUANDO EL bebé ya ha aprendido a agarrar los juguetes, podrá comenzar a explorarlos. Cuando es más pequeño la exploración no se limita a las características de los objetos en sí, sino a la exploración del medio a través de ellos. Le encantará sujetarlos y tirarlos para observar qué pasa con ellos, verlos desaparecer y aparecer y golpearlos. Así, el bebé aprende a percibir el efecto de la gravedad, la diferencia de peso entre las cosas, experimenta la velocidad y la aceleración de los objetos que tira o agarra.

LAS CAUSAS Y LAS CONSECUENCIAS

El golpeteo ayuda a entender los diferentes materiales, blandos y duros, e incluso la producción de distintos sonidos. Mediante otros ejercicios descritos podemos ver cómo los niños aprenden a valorar las variadas características físicas que diferencian los objetos. Con estos ejercicios, además de nuevos parámetros de medida, aprenderá las reglas físicas que relacionan los objetos con el ambiente. Este tipo de ejercicios también estará íntimamente relacionado con la coordinación motriz. El refuerzo positivo que tendrán estos juegos será generalmente el sonido que provocan las cosas al chocar, lo que le motivará cada vez más, según los diferentes sonidos que le propongamos.

Esto significa que el niño puede calcular de forma previa el movimiento requerido para realizar el golpeteo antes de ejecutarlo con respecto a la distancia, velocidad o fuerza. Por supuesto que esta precisión también seguirá un proceso de desarrollo hasta que el niño sea más mayor, pero comenzará ya desde el golpeteo del bebé. Algunas alteraciones neurológicas infantiles y adultas pueden ver mermada esta coordinación.

Intentaremos que ejercite la coordinación entre los miembros superiores en horizontal y en vertical. Este proceso neurológico comienza desde las seis semanas de vida, cuando empieza a rozarse durante pocos segundos las puntas de los dedos de cada mano. Un ejercicio apropiado es juntar y separar rápidamente y varias veces todos los dedos. De esta forma, irá adquiriendo mayor destreza para realizar otro tipo de golpeteos.

√ Sabías que...

Desde un punto de vista del sistema nervioso central, este tipo de movimientos muestra un alto grado de maduración, que en etapas anteriores resultaba imposible de realizar. Para poder golpear de una forma repetitiva entran en acción las áreas cerebrales encargadas de la coordinación entre los músculos agonistas y antagonistas de un mismo lado corporal. También se necesita una adecuada correspondencia de la región corporal con respecto al objeto que hay que golpear, así como a otras partes del cuerpo.

√ ¿Qué podemos hacer?

Para realizar golpeteos horizontales, los cuales resultan más sencillos a todos los niños, podemos utilizar los aplausos al ritmo de la música a modo de «palmitas»; también platillos colocados en las manos o bien un triángulo musical. Para los golpeteos verticales usaremos tambores, que podrán ser percutidos directamente con las manos o a través de otros objetos. Otros materiales sencillos pueden ser balones o la propia mesa donde está sentado el niño. Para que resulte más complicado el movimiento de ambas manos al mismo tiempo y en direcciones opuestas, podemos jugar a golpear pequeños palos de madera sonora.

La dificultad podrá ir aumentando en función de la edad del niño, siempre con control visual cuando es más pequeño y, posteriormente, se le podrá solicitar que lo haga con los ojos cerrados. Botar una pelota será un ejemplo muy complejo de este tipo de ejercicios, ya que la coordinación tendrá que realizarse frente a un objeto que tiene su propio movimiento, y los ajustes deberán ser más precisos y anticipados. El niño será capaz de realizar este tipo de ejercicio de una forma autónoma a partir de los cuatro años.

35 La destreza manual y la coordinación visual

LA COORDINACIÓN entre la visión y el desplazamiento de la mano es fundamental para la lectura y la escritura. Con este tipo de ejercicios el niño requerirá un mejor conocimiento del espacio y el inicio de funciones superiores, como el lenguaje y la memoria.

En este apartado nos centraremos únicamente en ejercicios que requieren una mayor precisión en el uso de las manos bajo un correcto control visual sin que sean tan básicos como la prensión general, pero sin prestar atención a los demás aspectos cognitivos que están implícitos y desarrollados a lo largo del libro.

✔ ¿Qué podemos hacer?

1 Comenzaremos con los juegos de «toma y dame». Cuando el nivel comprensivo del bebé lo permita, como es el caso de este periodo, este tipo de ejercicios ayudará a trabajar la coordinación de la musculatura prensora, pero también los mecanismos para devolver el objeto a su lugar. Dar un objeto no consiste en abandonarlo o tirarlo como lo hace el bebé durante el cuarto trimestre de vida. Para ello el niño debe calcular la distancia adecuada a la otra persona y relajar la musculatura flexora al mismo tiempo que activa la musculatura extensora de la mano. En este proceso no sólo se ve implicada la mano, sino todo el brazo que mantiene el hombro y el codo en la posición adecuada, mientras el movimiento tiene lugar en las zonas distales.

Utilizaremos objetos de muy variadas formas, pero también diversos pesos y tamaños buscando los diferentes tipos de prensiones y posiciones de la mano que el niño ha desarrollado hasta este momento. Serán útiles los cubos, palos, pelotas, canicas, algodón, papel e incluso agua.

2 Meter y sacar unos objetos de otros también le resultará divertido. Dependiendo de la forma y tamaño del objeto continente y del objeto contenido, el niño tendrá que mostrar sus habilidades para encajarlos. Al año de vida serán útiles los aros insertados en un palo de gran tamaño. También podemos usar juegos de «pinchitos» o chinchetas de colores. Estas clavijas de colores situadas dentro de una malla de plástico con cientos de pequeños orificios serán útiles en el caso de los niños más mayores.

Alrededor del año y medio ofreceremos al niño grandes cajas con diferentes juguetes de un tamaño algo superior al de su mano. Comenzaremos a introducir nosotros un objeto, esperando que luego él introduzca el siguiente, que será de otra forma y

tamaño. Tanto en el proceso de introducir como en el de sacar iremos complicando los ejercicios a medida que el niño crezca y complete los ejercicios anteriores. Algunos ejemplos son sacar y meter juguetes en una caja determinada, meter otros objetos en cajs má pequeñas, utilizar el dedo índice para sacar algo de una botella o vaso alargado y estrecho o el uso de formas geométricas en sus moldes.

3 El orden y las secuencias de objetos también nos ayudarán a ejercitar sus manos. Construiremos trenes y torres con cubos. Ambos requerirán un entendimiento espacial importante, pero también una habilidad manual para la colocación de los diferentes juguetes. Los cubos serán los más sencillos, pero luego podremos utilizar objetos más pequeños.

4 Si al niño le divierte, también trabajaremos directamente las manos sin necesidad de los objetos. Por ejemplo, le diremos o le mostraremos cómo se pueden tocar con el pulgar todos los demás dedos haciendo pinza con cada uno de ellos e incluso llegando a agarrar objetos. Otra propuesta puede ser la de colocar la mano de forma que quede en forma de «s», flexionando dorsalmente la muñeca y estirando todos los dedos, salvo en su primera falange. Para hacerlo más lúdico podemos pedirle que haga formas de animales con las manos.

36 Garabatear

LA ESCRITURA necesita de muchas pequeñas habilidades que el niño tiene que desarrollar. El proceso de aprendizaje necesita la coordinación visual y manual, así como entre ambas manos, la sujeción correcta del lápiz y la regulación de la presión, o el control de las direcciones espaciales, entre otros. Para que la escritura sea funcional necesitamos también la comprensión, ejecución y desarrollo mental del lenguaje. Con estos ejercicios trabajaremos las aptitudes del bebé, que en el futuro estarán al servicio de una más elaborada vida mental y lingüística.

✓ Sabías que...

Durante el segundo año el garabateo se irá convirtiendo en trazos más lineales, siempre por imitación de los adultos, hasta que a los 30 meses aproximadamente será capaz de repetir los trazos verticales y horizontales que nosotros le dibujamos. Serán fundamentales, por tanto, los ejercicios que ayuden a dirigir de forma consciente la dirección de la línea que traza de forma progresiva durante estos meses.

LAS CAUSAS Y LAS CONSECUENCIAS

Con un año el bebé ya observa al adulto cuando escribe y entonces agarra cualquier instrumento para imitarle. En un primer momento las marcas que imprime en el papel serán muy débiles. Por supuesto que los dibujos no tendrán formas lógicas, lo que se conoce con el nombre de garabato. Cuando aumente la presión del lápiz, el niño necesitará utilizar la mano contraria para sujetar el papel. Será el momento de coordinar una mano estática, mientras la otra va ganando cada vez más precisión en los trazos. A partir del año y medio garabateará sin necesidad de imitar a nadie e incluirá el dibujo dentro de su juego espontáneo.

Antes de comenzar el ejercicio tenemos que observar la postura del niño mientras permanece sentado. Es fundamental que mantenga el tronco y la cabeza rectos en todo momento, a pesar de que al

principio le suponga tanto esfuerzo que tenga que moverse varias veces. Del mismo modo, es muy importante ayudarle a sujetar los lápices de la manera correcta para que los trazos también lo sean.

Aunque en un primer momento en el bebé no es imprescindible, ya que lo primordial son las ganas de garabatear, a esta edad es importante enseñarle la manera correcta. Trabajaremos así la mano del lado que comienza a ser dominante, lo que dejaremos a la propia elección del niño. Acto seguido y con la mano que queda libre le enseñaremos a sujetar el papel para que no sea arrastrado por el lápiz mientras aprende a regular la presión.

✓ ¿Qué podemos hacer?

1 Como ejercicios previos al garabateo podemos realizar actividades lúdicas para estimular la correcta sujeción del lápiz. Para ello podemos utilizar los juegos de imitación de formas con las manos que se han descrito en el capítulo anterior. Estos ejercicios ayudarán a mejorar la posición y la potencia de los dedos de forma progresiva.

2 Para el garabateo libre bastarán una hoja y lápices de colores, pero para guiar los trazos lo mejor será ayudarnos de sencillas plantillas que podemos realizar nosotros mismos. Los relatos ayudarán a trabajar la unión de diferentes dibujos pintados previamente en el papel. Para el trazo vertical podremos utilizar unas nubes en la parte superior y un niño en la parte inferior del folio. Para el trazo horizontal haremos un coche en la parte izquierda y la meta en la parte derecha. Pediremos al niño que una ambos conceptos, previa demostración nuestra, utilizando trazos cada vez más seguros. La dificultad de los conceptos variará también en función de su edad, haciéndole relacionar el conejo con la zanahoria, el cohete con el cielo o la raqueta con la pelota, entre los diversos ejemplos que nuestra creatividad nos permita. Además de las direcciones vertical y horizontal debemos incluir posteriormente ambos sentidos del dibujo: abajo-arriba y arriba-abajo, derecha-izquierda e izquierda-derecha. Por supuesto, el niño todavía no puede hacerlo de una forma consciente, pero así lo aprende de forma intuitiva.

37 Jugar con ambas manos

«SPLIT-BRAIN» es el término anglosajón que describe la situación inicial del cerebro antes del proceso de coordinación entre los dos hemisferios cerebrales. El cuerpo calloso es la estructura cerebral que contiene las principales fibras que los interrelacionan.

Como ya hemos visto a lo largo de varios capítulos, la coordinación entre ambas manos comienza al mes y medio de vida aproximadamente, cuando el niño empieza a rozar los dedos de las manos entre ellos. Hacia los tres meses ya podrá jugar con ellas y a los seis meses será capaz de cambiar un objeto de una mano a otra. Estos movimientos contienen los elementos básicos de la prensión, que con la maduración se harán más específicos en todas sus combinaciones y posibilidades.

Con los ejercicios que se describen a continuación se pretende dar algunos ejemplos para estimular la coordinación manual en el niño más mayor. Esta serie de ejercicios se puede repetir entre cinco y diez veces, siempre y cuando el niño no esté excesivamente cansado. Si fuera así, es preferible dejar estos ejercicios e intentar realizarlos otro día, cuando el pequeño está más dispuesto.

✓ Sabías que...

Durante el periodo de gestación del feto dentro del útero hay una coordinación entre las dos manos, pero se perderá por el efecto de la fuerza de la gravedad sobre el cuerpo del neonato tras el nacimiento. Durante el siguiente proceso de evolución, el bebé tendrá que aprender a desarrollar los movimientos que ya realizaba anteriormente en el medio líquido.

✓ ¿Qué podemos hacer?

1 Alrededor del año y medio de vida propondremos al niño que juegue con un cilindro y aros de diferentes grosores. Aunque existen modelos homologados, también los podemos fabricar nosotros con objetos caseros que no impliquen peligro alguno para el pequeño. Para realizar el ejercicio, no bastará con la coordinación de las manos, sino que también hará falta la coordinación con los objetos. Si el niño todavía no fuese capaz de meter los anillos, podríamos comenzar con un ejercicio más sencillo, como sacar los anillos que nosotros hemos introducido antes.

2 Cuando el niño tiene unos dos años, los ejercicios para combinar el movimiento de ambas manos pueden realizarse de la siguiente forma: utilizaremos un cartón perforado con muchos agujeros de diferentes tamaños y le enseñaremos por imitación que introduzca lápices de colores por ellos. Podemos combinar este ejercicio con algún código de colores, por ejemplo pasando los lápices rojos por los agujeros rodeados de rojo y así con el resto de colores básicos.

3 A los dos años, si queremos trabajar de una forma que no sea tan lineal, podemos recurrir a la apertura de botes grandes con tapas de rosca, dar vueltas con el dedo a un molinillo de viento o dar pedales con ambas manos en un juego adaptado para ello y cuyo mecanismo active atractivos movimientos y luces que sorprendan al pequeño.

4 También a esta edad podemos introducir los juegos de ensartar cosas en una cuerda. Debido a la poca consistencia del tejido, requerirá mayor destreza que los ejercicios anteriores y también podemos variar la dificultad de las actividades por el tamaño y la forma de las cuentas que le ofrezcamos. Como en los anteriores, ambas manos se combinan de forma simétrica, pero empleando una prensión más fina para las actividades de precisión y una más grosera como tope o sujeción.

38 La comprensión de conceptos

A PARTIR de los seis años de edad, el niño ya tiene un lenguaje y un orden interno que le dan la capacidad de elaborar las respuestas ante los diferentes estímulos. Para llegar a este grado de maduración, el pequeño tiene que pasar por diferentes etapas previas a la ejecución del lenguaje oral. Es fundamental que entienda lo que el adulto dice para poder utilizar la palabra. La comprensión es, por tanto, una etapa previa a la ejecución del lenguaje y el niño irá evolucionando en el entendimiento de los diferentes términos que hacen referencia a objetos reales y cotidianos hasta adquirir y comprender los conceptos que son más abstractos.

¿CÓMO SE HACE...?

Tomaremos una caja grande que llenaremos con pequeños juguetes que representen diferentes objetos y seres vivos. Por ejemplo, seleccionaremos animales, alimentos, coches, personas, etc., que tengamos disponibles. Es interesante que además algunos estén repetidos o los haya de diferentes tamaños.

Cuando se trate de un niño con año y medio de edad, elegiremos cualquier objeto de la caja y se lo ofreceremos diciéndole: «Toma». Y posteriormente se lo pediremos extendiendo nuestro brazo con la palma de la mano abierta y hacia arriba repitiendo «dame». Mediante esta secuencia sacaremos e introduciremos los objetos de la caja a modo de juego, algo que le encantará al bebé. Progresivamente iremos solicitando al niño que sea él quien tome la iniciativa de ofrecer y pedir, y llegará un momento en que nosotros no tengamos que apoyar nuestras palabras con los gestos de la mano. A partir del año y medio comenzaremos a jugar hablando de los objetos que intercambiamos con el pequeño.

✓ Sabías que...

Las figuras suelen ser más sencillas de interpretar y comprender por los niños, pero también podemos ayudarnos de dibujos, fotografías u otro tipo de materiales que se adapten al nivel de desarrollo del pequeño.

✓ ¿Qué podemos hacer?

1 Comenzaremos mostrándole un objeto y diciéndole el nombre del mismo. Por supuesto, no utilizaremos el nombre de una forma aislada, sino contándole una historia sobre él. Puede ser diciéndole, por ejemplo, a quién pertenece o para qué sirve, pero siempre reforzando su nombre con alguna explicación antes de ofrecérselo en la mano. El objetivo será que el niño intente repetir el nombre después de nosotros.

2 Pediremos al niño que nos dé un objeto que tendrá que seleccionar de entre todos los que están en la caja únicamente pronunciando el nombre. De forma orientativa tendremos en cuenta que el pequeño será capaz de sacar tres juguetes conocidos sin equivocarse hacia los 18 meses. Cuando el niño comienza a señalar, le diremos el nombre del objeto que señala acercándoselo para poder explorarlo y uniéndolo a un entretenido cuento en el que se describe su utilidad o a quién pertenece.

3 A partir de los dos años introduciremos los colores. Le mostraremos todos los objetos que sean del mismo color, para posteriormente pedirle que sea él quien los seleccione bajo nuestra petición. A continuación introduciremos los conceptos grande y pequeño. Al principio procuraremos utilizar objetos iguales, pero posteriormente también podremos usar dos coches de diferente forma y tamaño, u objetos de dos categorías distintas.

4 A partir de los dos años y medio de edad trabajaremos con categorías y clasificaciones más abstractas, pidiéndole, por ejemplo, que seleccione los animales que conozca. Según el niño vaya creciendo, adaptaremos esta actividad a otro tipo de conceptos superiores. Llevaremos la complejidad hasta trabajar los conceptos de igual, detrás y delante. Después de este periodo, podremos solicitar los objetos que pesen más o los seres vivos, pudiendo complicar esta actividad hasta después de la etapa preescolar.

39 Las formas geométricas

DESDE LOS diez meses de vida los niños discriminan visualmente las diferentes figuras geométricas, aunque por supuesto todavía no son capaces de verbalizarlas. En las jugueterías podemos encontrar gran cantidad de juegos con piezas de diferentes formas geométricas. Para este tipo de ejercicios serán muy útiles los objetos hechos con láminas de madera u otro tipo de materiales resistentes. Los más adecuados serán aquellos cuyas piezas encajen en un sencillo tablero y que estén asociados por diferentes colores. En un primer momento no es necesario un tablero excesivamente complejo, sino que bastará con las formas triangulares, redondas y cuadradas. Incluso podrá ser fabricado por nosotros mismos si queremos adaptarnos más específicamente al niño que conocemos en cuestión.

En la realización de estas actividades influirán tanto la coordinación visual y manual como la destreza en la manipulación para introducir las piezas dentro de sus correspondientes continentes. Nuestro papel durante el juego será también darle el apoyo con constantes alabanzas.

✓ ¿Qué podemos hacer?

Los juegos de formas constituyen un divertido entretenimiento, además de una manera muy amena de aprender.

1 Desde el inicio de este periodo trabajaremos la colocación de las figuras en sus correspondientes sitios. Si el niño todavía no fuese capaz, le mostraremos con nuestra mano el desplazamiento de la suya. Será importante trabajar tanto la función de introducir como la de sacar las diferentes formas de sus moldes. Mientras juega, podemos ir recordándole el nombre de la figura con la que trabajamos en cada momento. Al principio le entregaremos las piezas separadas una a una y, cuando el niño ya esté preparado, se las daremos todas juntas. Incluso podremos complicar el ejercicio añadiendo figuras diferentes, que no tengan cabida en el tablero.

2 Utilizaremos tableros con el mismo tipo de figuras geométricas: triángulos, cuadrados y círculos. Lo que diferenciará a cada una de las piezas, que no deberán ser más de tres en un primer momento, será su tamaño. Además de trabajar la percepción del niño, le ayudaremos a introducir las diferentes formas dentro de las categorías abstractas que las engloban.

3 Le mostraremos cómo se hacen figuras sencillas, como un tren o una torre con cubos. La intención será configurar las figuras geométricas en el espacio, conformando así otra figura mayor y más cercana a las tres dimensiones. También le ofreceremos cubos al niño para que nos imite o nos ayude a construir las diferentes formas que le vamos sugiriendo.

4 Le pediremos que seleccione una forma determinada de caja donde haya objetos con diferentes formas. Si fuese necesario, en un primer momento podemos acompañar nuestra petición visualmente mostrándole una pieza de esa forma colocada sobre nuestra mano. Trabajaremos con las formas redondas, cuadradas y triangulares, y sólo más adelante se le pedirá que encuentre formas de objetos perfectamente reconocibles por el niño, como una luna, una casa o una estrella. Si todavía no distingue bien las formas básicas, insistiremos con ellas antes de pasar a otras más complicadas.

Un buen ejercicio es construir una torre o hacer un tren.

5 En los ejercicios anteriores se pueden introducir otro tipo de formas más complejas, según la evolución del niño. Además de las estrellas y la luna ya nombradas, podemos añadir rectángulos, triángulos irregulares, óvalos o cruces, entre otras formas que se nos ocurran y que sean fáciles de identificar por sus formas bien definidas.

40 La memoria

LA CAPACIDAD para evocar las acciones o los objetos que no están siendo percibidos en un determinado momento está limitada en el bebé. El niño sólo dispone de una memoria a muy corto plazo, que le hará olvidar aquello que ya no puede ver o sentir. Según se va haciendo mayor, la capacidad de memorizar las cosas irá aumentando. Un ejemplo de ello es el recuerdo del objeto, que permite la permanencia de su imagen en el cerebro del niño a pesar de que ya haya desaparecido de su campo de visión. Lo mismo ocurrirá con sus adultos de referencia.

Para memorizar los diferentes elementos, necesitamos disponer de distintos tipos de memoria que se adapten a cada una de las características. Con las actividades que propongamos al niño tendremos que ejercitar la memoria visual, auditiva, olfativa, táctil, temporal, cognitiva, receptiva o de ordenación de secuencias y demás combinaciones entre ambas. Los adultos, de forma intuitiva, ejercitan la memoria del bebé al contarle sencillos cuentos o pronunciar la primeras sílabas, esperando que con el tiempo el niño se anticipe a ellos para finalizar la historia o la palabra propuesta. Los ejercicios que a continuación se describen pretenden abarcar diferentes tipos de memorias del niño, sin poder ser nunca separadas del resto de habilidades en constante desarrollo.

✔ Sabías que...

La memoria es una función superior del sistema nervioso central en la que participan muchas regiones cerebrales y las conexiones entre ellas. Por todo ello, la capacidad de retener elementos en nuestra memoria para disponer posteriormente de ellos cuando los necesitemos es un proceso muy complejo.

✓ ¿Qué podemos hacer?

Al igual que se ejercitan y entrenan los músculos del cuerpo, la memoria puede ser mejorada a través de varios ejercicios específicos. Aunque en un primer momento nos puedan parecer incluso excesivamente sencillos, son la mejor manera de mejorar la agilidad mental del niño.

1 Nosotros nos ayudaremos también con un sencillo cuento que describa varias acciones ordenadas en el tiempo. Por ejemplo, podremos relatar la historia de una niña que va a comprar el pan porque su madre se lo ha pedido. La madre le dará el dinero y la niña emprenderá el camino hacia la panadería. En el camino verá un perrito que cruza la calle y es atropellado por un coche. En ese momento llegará la ambulancia que se lo llevará al hospital para curarle y la niña irá a visitarle llevándole algún dulce que ha comprado en la panadería.

A continuación mostraremos las fichas que resumen la historia, que las podemos haber dibujado nosotros mismos. También podemos adaptar las historias a las fichas que tengamos en casa.

En la primera ficha mostraremos a la madre dando a la niña las monedas necesarias e indicándole el camino que debe seguir. Las demás fichas estarán desordenadas y se las mostraremos al niño para que seleccione la siguiente parte de la historia. Cuando la señale, retomaremos de nuevo el cuento describiendo la ficha que muestra a la niña en su camino hacia la panadería.

Continuaremos de esta forma la secuencia hasta completar la historia y felicitar al niño por su logro. Comenzaremos por tres fichas e iremos añadiendo más de forma progresiva para que pueda asimilarlas.

Narrar cuentos acompañados por dibujos activa la memoria.

Imágenes, cuentos, dibujos y música sirven para ejercitar la memoria.

2 Para la memoria visual y espacial podemos trabajar con diferentes fichas que representen imágenes iguales, similares y completamente diferentes. El niño tendrá que seleccionar la que nosotros le hayamos mostrado en un primer momento y sobre la que hemos basado nuestro cuento. Para ello deberá diferenciarla de todas las demás con distintos niveles de dificultad.

Otra opción será colocar todas las fichas boca abajo y pedirle que las levante de una en una buscando un objeto determinado. Cuando haya encontrado lo que le hemos pedido, pasaremos a la siguiente ficha. Observaremos si recuerda dónde estaba cada objeto al dar la vuelta a las fichas en el turno anterior e iremos reduciendo el tiempo para encontrar cada nueva petición.

3 En el trabajo de la memoria auditiva utilizaremos grabaciones de sonidos, como coches, animales o voces de familiares. Las canciones serán muy útiles para hacerle recordar frases y palabras. La mayor complejidad estará en la discriminación entre diferentes músicas, ya que todavía es muy pequeño para poder identificarlas.

4 Otro sencillo ejercicio consiste en que antes de echarse la siesta después de la comida le acompañaremos a esconder su juguete preferido dentro de un armario que esté a su altura y su alcance. Después de levantarse de la siesta le preguntaremos dónde se encuentra dicho objeto y observaremos si lo recuerda. Cuando este ejercicio ya no suponga dificultad alguna, aumentaremos el tiempo de las horas de sueño nocturno o incluso a unos pocos días. Puede que las primeras veces no lo recuerde, pero a medida que pasa el tiempo observaremos cómo sí es capaz de acordarse del lugar donde escondió el juguete.

41 Jugar con circuitos

LAS ACTIVIDADES con circuitos de habilidades motoras son secuencias de ejercicios que requieren que el niño sepa controlar y manejar la motricidad más básica. Esta concatenación exige al pequeño no sólo coordinación y agilidad, sino también requiere de su memoria y un buen conocimiento del espacio. A esto se puede sumar el aprendizaje de las secuencias temporales, trabajando de forma cíclica, con música, mientras nosotros marcamos diferentes ritmos o le pedimos que se detenga y continúe mediante órdenes o a través de sonidos.

Estos circuitos requerirán de un material específico, pero también puede ser fácilmente sustituido por elementos que encontramos en el hogar. Las ventajas que presentan los primeros serán la seguridad, las atractivas formas y colores, los materiales blandos y multifuncionales y que sean fáciles de almacenar para que no ocupen demasiado sitio.

Este tipo de ejercicios es utilizado muy frecuentemente dentro de las sesiones de psicomotricidad, debido a sus interesantes características. Sin embargo, no debemos olvidar otros ejemplos que hemos ido viendo a lo largo de este libro. En la psicomotricidad el movimiento es el medio que se emplea para desarrollar al máximo de sus posibilidades las capacidades motrices, cognitivas y socioafectivas del niño.

Por tanto, el movimiento no es un fin en sí mismo, sino el medio para extraer del niño otras muchas potencialidades. Cuantos más movimientos sea capaz de realizar de una forma consciente, más seguridad tendrá en sí mismo.

✓ ¿Qué podemos hacer?

Pediremos a los niños que recorran el circuito, que se lo podemos mostrar nosotros previamente. El recorrido solicitará sobre todo sus habilidades motoras y el equilibrio gracias a la combinación de rampas de subida, rampas de bajada, escaleras, pasillos estrechos, giros, zonas elevadas, superficies blandas o de diferentes consistencias, apoyos asimétricos entre ambos pies, cambios de dirección, cambios de sentido y demás dificultades.

El grado de complicación de cada ejercicio dependerá de la edad del grupo de niños con el que estemos trabajando y podrá incluirse también otro tipo de posiciones que no sean la bipedestación, como, por ejemplo, gatear para pasar por debajo de objetos, arrastrarse o rodar. Las mayores dificultades las encontraremos cuando pidamos que caminen hacia atrás, salten o realicen alguna actividad con los ojos cerrados.

A esta secuencia puramente física uniremos otro tipo de contenidos cognitivos. El hecho de socializar e integrarse en el juego con otros niños es ya una parte importante de estas actividades. En las dinámicas de grupos será importante observar el papel que adopta cada uno de los individuos para ayudarles en sus dificultades. Independientemente de cómo sea el circuito que hemos establecido, conviene seguir una serie de consejos para que no se pierda el espíritu inicial que tenía el juego.

Durante la ejecución de cualquier tipo de circuito trabajaremos al mismo tiempo los siguientes aspectos:

■ LOS TURNOS. Los niños tendrán que aprender y respetar siempre cuándo es su turno para recorrer el circuito. Cuando no sea así, deberán respetar el turno del otro compañero esperando pacientemente en la fila y sin ponerse nerviosos.

■ EL RITMO. Podemos marcar diferentes ritmos y velocidades para la ejecución de cada ejercicio. Nos podemos ayudar para ello de la música, de canciones o de nuestra propia voz. Cuando tengan dominado el recorrido con un ritmo determinado, pasaremos a realizarlo con otro más rápido.

■ LA SECUENCIA ESPACIAL. Los niños deberán memorizar los diferentes recorridos y exactamente qué deben realizar en cada lugar mediante una detallada explicación previa. Si olvidasen alguna

El niño debe esforzarse en controlar el equilibrio y la coordinación motriz de su cuerpo.

parte por el camino, podrán acordarse al observar a sus compañeros. Podrán ayudarse también entre ellos para reforzar el compañerismo y la idea de grupo en la solución de problemas comunes. Es preferible esa ayuda entre ellos antes que volver a explicar el recorrido, porque así mejoran sus habilidades sociales.

■ LA SECUENCIA TEMPORAL. Durante los ejercicios podemos añadir paradas en cualquier momento del circuito. Podemos asociar dicha parada a una palmada o

sonido al que cada niño deberá estar atento. De esta forma, los niños deberán saber reaccionar a las improvisaciones e imprevistos que se les presenten durante el mismo. La capacidad de reacción también denota un correcto desarrollo corporal y mental, acorde con la edad que tiene el pequeño.

42 Ejercicios de relajación

EL ESTADO de relajación física y mental a veces puede resultar muy difícil de alcanzar tanto en los adultos como en los niños. A través de los ejercicios de autocontrol y autoconocimiento del cuerpo intentamos llegar a la relajación psíquica.

La respiración será un elemento fundamental de estos ejercicios. El niño tendrá que realizar un patrón respiratorio lento y profundo tomando el aire por la nariz y soltándolo por la boca. Para ayudarle a entenderlo, podemos utilizar cuentos, decirle que tiene que calentar el aire, mantenerlo dentro un tiempo, hinchar la tripa con él o soplar lo más lento que pueda. Para marcar los tiempos de inspiración y espiración podemos guiarle con el movimiento de las piernas: cuando le flexionamos las piernas le decimos que tiene que soltar todo el aire que tenga y cuando las estiramos, que coja todo lo que le sea posible. Cualquier ejemplo es válido dependiendo del niño. A través del entretenimiento conseguiremos nuestro objetivo.

La respiración exagerada favorece la relajación

✓ Sabías que...

En el caso de los niños, los ejercicios de relajación no pueden ser realizados a través de una concentración muy intensa, sino mediante el juego. El mecanismo fisiológico será el mismo, es decir, intentar relajar el tono muscular de base y liberar la mente de las posibles preocupaciones. Lo que variará, por tanto, será el enfoque de los ejercicios intentando guiar la contracción muscular, el automasaje o la imaginación.

✓ ¿Qué podemos hacer?

La posición ideal para realizar estos ejercicios será tumbado boca arriba y con los ojos cerrados. Debido a la inquietud de esta edad no será posible mantenerla durante mucho tiempo, por lo que buscaremos la posición en la que más cómodo se encuentre el niño y en la que sea capaz de estar durante el mayor tiempo posible.

■ EJERCICIOS DE CONTRACCIÓN-RELAJACIÓN PARA NIÑOS.

Las técnicas clásicas de contracción y relajación de la musculatura pueden adaptarse de la siguiente manera a los niños: no les pediremos contracciones isométricas o estáticas como a los adultos, sino que les sugeriremos movimientos simples que contraigan cada grupo muscular y que ellos puedan entenderlo

fácilmente. Tumbados boca arriba, comenzaremos pidiendo que lleven los brazos arriba y los mantengan hasta que nosotros digamos. Después de cinco segundos les pediremos que lleven los brazos abajo y que los dejen «muertos». Del mismo modo, repetiremos con otras partes del cuerpo hasta cubrir todos los principales grupos musculares. Algunos ejemplos son: «llevad las piernas al pecho doblándolas y haciendo fuerza con la tripa», «levantad una pierna recta del suelo y luego la otra», «levantad la cabeza y rotadla hacia un lado y otro», «cerrad las manos lo más fuerte que podáis» o «llevad las puntas de los pies hacia arriba». Para entender la posterior fase de relajación de la misma zona podemos jugar a retarles pidiéndoles que muevan la parte del cuerpo que hemos dicho.

■ EJERCICIOS DE RELAJACIÓN ESTIMULANDO LA IMAGINACIÓN. A través de historias pediremos a los niños que se tumben en el suelo, cierren los ojos e imaginen los paisajes que nosotros les proponemos. Les relataremos cómo una gran burbuja de aire les rodea y les lleva volando suavemente. Les haremos salir de la habitación mediante su imaginación hasta llegar a distintos lugares naturales, como una playa, sobre el mar, les sumergiremos en las profundidades del fondo marino, les elevaremos volando hasta la cima de una montaña llena de nieve, rodarán por prados verdes y les meteremos dentro de las nubes para después volver a la habitación y despertar

de nuevo. Será fundamental describirles con muchos detalles cada lugar para que se concentren de una forma divertida y se olviden de la tensión acumulada en su cuerpo.

Otra forma de trabajar la relajación interior puede ser haciéndoles imaginar cómo un «pequeño sol» se les posa en distintas partes del cuerpo. Comenzando desde la cabeza hasta los pies, intentarán sentir el calor que el sol despide. Les calentará primero un hombro y luego el otro, los brazos, las manos, las nalgas, los muslos, las piernas y, por último, los pies.

- EJERCICIOS DE AUTOMASAJE PARA NIÑOS. El automasaje puede ser aplicado con las manos o con una pelotita blanda. Dependiendo de la edad y madurez del pequeño se puede hacer por imitación al adulto o mediante órdenes verbales, pero siempre guiado mediante una secuencia divertida. Lo importante no será si realiza la técnica de masaje correctamente, sino que se sienta consciente de cada parte del cuerpo de una forma fácil. Con el juego diario o durante el baño le pediremos que amase los músculos de los hombros y brazos, de las piernas, del pecho y del vientre. Si le resultase difícil amasar o masajear, podemos pedirle que se aplique pequeños golpecitos con la palma de la mano abierta y relajada simulando técnicas de percusión propias del masaje relajante.

- EJERCICIOS DE ESTIRAMIENTO Y RELAJACIÓN PASIVA DE LOS MÚSCULOS PARA NIÑOS. Los ejercicios de estiramiento son muy efectivos para reducir la tensión acumulada en los músculos y ayudar a relajarlos. Los haremos sin pedirles colaboración, es decir, de forma pasiva. En el caso de niños entre uno y dos años podemos realizarlos desde la posición de tumbado boca arriba,

flexionándoles ambas piernas hacia el pecho y luego hacia la cara sin que les resulte incómodo en ningún momento. Mantendremos unos segundos la posición y después relajaremos.

■ EJERCICIOS DE RELAJACIÓN CON MÚSICA. La música o nuestras propias canciones pueden ayudarnos a relajar al bebé. En el caso de los niños más mayores, podemos dejarles elegir la música que más les guste y guiarles la respiración con nuestra voz.

■ EL MÉTODO CANGURO EN LA RELAJACIÓN. Para favorecer el efecto relajante de los ejercicios podemos sumarles el contacto piel con piel con la persona adulta encargada de su cuidado. Para ello situaremos al niño con el torso desnudo encima de nuestra piel. El calor, la sensibilidad táctil y sentir cerca nuestra respiración y latido cardíaco ayudarán a la relajación y a mantener el tiempo de atención en el resto de ejercicios.

■ EJERCICIOS DE BALANCEO. Las vías neuronales cerebrales que gestionan los sentimientos y los vínculos afectivos ya funcionan desde el nacimiento. Existen otras áreas que necesitarán algún tiempo de maduración después del parto; sin embargo, no será así en el sistema límbico. Por todo ello sabemos que los estímulos externos tendrán una importante influencia sobre la estabilidad emocional del niño. Esta ventaja se traduce mediante la posibilidad de establecer un vínculo con la madre desde el nacimiento y una relación tónico-afectiva en la que se basarán los ejercicios de relajación en edades más avanzadas.

Los ejercicios de relajación que aprovechan esta característica son aquellos de balanceo o mecimiento suave y repetitivo, ya sea en nuestros brazos o encima de una pelota, pero siempre en contacto muy cercano y seguro con el adulto. A ellos sumaremos las caricias, los gestos, la música y le hablaremos suavemente al oído.

43 La percepción del propio cuerpo

La base de estos ejercicios la podemos comenzar con los bebés de una forma pasiva a través del masaje y de las movilizaciones pasivas de sus articulaciones. Moveremos sus pies hacia arriba y hacia abajo, flexionaremos y extenderemos sus rodillas y sus caderas. Lo mismo realizaremos en sus brazos, elevándolos hacia arriba y hacia abajo y a ambos laterales. También abriremos y cerraremos sus manitas. De esta forma estimulamos su percepción en todo el arco articular que posteriormente se irá limitando a las establecidas por el sistema nervioso central. El niño aprenderá a percibir su cuerpo en distintas posiciones antes de que pueda llegar a alcanzarlas por sí mismo.

LA CAPACIDAD de percibir la posición del propio cuerpo en el espacio es fundamental para el movimiento; si no percibimos ni somos conscientes de las posibilidades de nuestro cuerpo, resulta muy difícil que sepamos cómo moverlo de forma apropiada en cada circunstancia. Desde que somos niños vamos experimentando diferentes posturas y movimientos, y nuestro cerebro aprende las posiciones en las que podemos colocar cada una de las partes de nuestro cuerpo. La práctica y la observación son esenciales para un adecuado aprendizaje, aunque en muchas ocasiones los realicemos de una manera inconsciente.

Los receptores sensitivos que reciben esta información interna se sitúan en regiones profundas, como las articulaciones, y ascienden hasta el cerebro por los cordones posteriores de la médula. Gracias a la percepción de uno mismo podemos recuperar el equilibrio más fácilmente, prevenir caídas, evitar lesiones y conocer la posición de nuestro cuerpo incluso cuando estamos con los ojos cerrados. Si no fuera así, no podríamos realizar actividades tan asumidas como ponernos de pie o caminar. Aunque desde bebés este aspecto se puede entrenar, cuando son mayores se comprueba la eficacia de estos ejercicios.

✓ ¿Qué podemos hacer?

El trabajo de los ejercicios de percepción en los niños de este periodo se realizará de una forma más consciente. Mediante indicaciones le pediremos al niño que coloque las diferentes partes del cuerpo en varias posiciones. De ese modo será él mismo quien tenga que entender el movimiento y saber colocar su cuerpo de la forma adecuada. Cuando perciba su posición, sabrá que lo ha hecho de la forma correcta. La dificultad de esta actividad se presenta porque el niño tendrá que realizarla con los ojos cerrados en todo momento. Por tanto, su vista no le servirá como sistema para obtener información. Siempre deberá guiarse por las sensaciones que llegan del interior de su cuerpo para entender si está o no en la posición que le hemos solicitado.

El lenguaje que tenemos que utilizar debe ser sencillo para que pueda ser comprendido por su nivel de desarrollo. Por ejemplo, podemos solicitar: «sube la punta del pie hacia arriba», «colócate sobre las puntas de los pies», «lleva el talón al culete» (flexionando la rodilla), «tócate con la oreja el hombro» (flexionando lateralmente el cuello), «lleva la rodilla al pecho» (flexionando la cadera y la rodilla), «colócate sobre un solo pie y lleva el otro a tocar la rodilla contraria», «tócate con una mano el hombro del mismo lado», «tócate con una mano el hombro contrario» o «junta ambas manos por delante de ti, con los brazos estirados».

Le iremos haciendo indicaciones al niño sobre los movimientos que debe hacer.

Otros ejercicios importantes que solicitan la percepción de uno mismo son los de equilibrio. También serán propuestos con los ojos cerrados para evitar que se ayude con los estímulos visuales en la recuperación de la postura. Por ejemplo, pediremos al niño que mantenga el equilibrio sobre una sola pierna.

44 El reconocimiento de los objetos a través del tacto

LA PERCEPCIÓN es un proceso más elaborado que la propia recepción de las sensaciones externas. Nuestros tejidos están provistos de diferentes receptores sensitivos especializados en el reconocimiento de muchos datos procedentes del medio externo: el tacto, la presión, el dolor, la temperatura, la posición o la vibración. Su distribución depende de la posición e importancia que tiene cada tejido y su segmento corporal. A estos receptores se unen los cinco sentidos, para completar el entendimiento del mundo que nos rodea desde que nacemos. Todos ellos traducirán estos datos en señales eléctricas para poder ser combinados y elaborados en el sistema nervioso central.

LA EVOLUCIÓN

Durante el primer año de vida, además del desarrollo motriz básico, el niño también mejora las capacidades perceptivas. De hecho, a partir del segundo trimestre de vida el bebé, además de agarrar adecuadamente los objetos, también puede percibirlos con su mano. En su proceso de maduración aprenderá a integrar de forma inconsciente todas las sensaciones externas, dándoles un valor más subjetivo: frío, más caliente, muy pesado, boca arriba o muy doloroso pueden ser algunos ejemplos.

Con el desarrollo cognitivo aprendemos a reconocer muchos elementos del medio sin necesidad de todos los datos. Las áreas de asociación del cerebro y la experiencia ayudarán a este proceso perceptivo y a otro tipo de proceso.

Con estos ejercicios pretendemos estimular este desarrollo a través de la «estereognosia» y la «grafiestesia». Estos dos procesos mentales suponen una gran coordinación y elaboración del sistema nervioso central, ya que trabajan muchas áreas al mismo tiempo. Pueden ser combinadas durante los ejercicios con el desarrollo del lenguaje, los conceptos más abstractos, el cálculo, pero siempre a través del juego.

✓ Sabías que...

El término conocido como «estereognosia» se aplica a la capacidad para reconocer los objetos por su forma o consistencia, mientras que la «grafiestesia» es el sentido por el cual se reconoce lo que se traza y siente en la piel. Ambas son propiedades del sistema nervioso central humano.

✓ ¿Qué podemos hacer?

1 RECONOCIMIENTO DE OBJETOS. Solicitaremos al niño que reconozca y nombre los objetos que le ofrecemos en las manos con los ojos cubiertos por un pañuelo. El niño explorará el objeto el tiempo que necesite. También se le puede dejar elegir entre varios juguetes colocados en una caja. Debido a la dificultad del ejercicio, utilizaremos sus propios juguetes u objetos que el niño use cotidianamente. Aunque este ejercicio se debe realizar con niños más mayores, si no supiese el nombre de lo que tiene entre manos, bastará que realice la onomatopeya con la que lo reconoce.

2 SENTIDOS UTILIZADOS. Para este ejercicio recurriremos a figuras sencillas, como triángulos, cuadrados, círculos o cruces. También podemos utilizar letras si el niño es más mayor y ya conoce alguna de ellas. Trazaremos estas figuras con nuestro dedo o la parte posterior de un lápiz en diferentes regiones cutáneas del niño. Podemos utilizar la espalda, el muslo o el dorso de la mano, pero siempre asegurándonos de que el pequeño no puede ver lo que dibujamos. A continuación le pediremos que nos describa lo que ha sentido y que explique la figura.

El sentido del tacto recorre todo nuestro cuerpo.

45 Razonamientos para solucionar problemas

LAS ACTIVIDADES que proponemos en este apartado tienen que poner al niño en la necesidad de resolver una pequeña dificultad para poder lograr el objetivo que desea. A esta edad los ejercicios para la resolución de problemas no hacen referencia al cálculo. Para poder solucionar esta dificultad el niño tendrá que utilizar el resto de habilidades que se han ido desarrollando hasta el momento: visión espacial, comprensión de formas geométricas, memoria, destreza manual o imagen corporal, entre otras.

✓ ¿Qué podemos hacer?

1 A partir de año y medio o dos de vida el niño ya diferencia entre el continente y la forma contenida. Esto lo podemos comprobar a través de las imágenes que le mostramos, en las que también empezará a reconocer las figuras del fondo. En ese momento le podremos ofrecer al bebé una botella con el cuello lo suficientemente pequeño como para que no pueda introducir los dedos; dentro de la botella meteremos un objeto que al niño le guste mucho y desee recuperar por todos los medios.

El pequeño tendrá que descubrir por sí mismo o guiado por nosotros cómo abrir la botella. Después tendrá que colocar la botella boca abajo, de manera que la posición facilite la salida del juguete, el cual no podrá salir de otra manera.

2 Utilizaremos una caja cerrada y perforada por varios orificios. Mostraremos al bebé cómo introducimos por cada uno de ellos diferentes juguetes atados por una cuerda.

Estos orificios permitirán la entrada del objeto, pero no de la mano del niño cuando intente recuperarlos. La cuerda quedará extendida fuera de la caja, esperando a que el niño la utilice para alcanzar los objetos. Cuando descubra que tirando de ellas sus bonitos juguetes también saldrán, le felicitaremos intensamente para premiar su esfuerzo.

3 A través de la práctica diaria también podremos ejercitar la capacidad el niño para solucionar determinadas situaciones. Para ello podemos utilizar algo tan sencillo como el acto de vestirse y desnudarse. Al realizarlo a diario junto con el adulto, el niño acaba memorizando las secuencias de estos procesos con cada una de las prendas. Sin embargo, podemos pedirle que de forma progresiva se coloque él mismo una pieza. Será entonces cuando deberá recurrir a toda su habilidad para entender cómo hacerlo y no solamente dejarse llevar por el automatismo sin prestar atención. Podemos comenzar por los calcetines o los zapatos, siempre con nuestra ayuda, y posteriormente un gorro o la camiseta.

4 Colocaremos nuestro cuerpo en una posición determinada que llame la atención del niño. Comenzaremos por algo sencillo, como realizar formas con las manos o poner los brazos en cruz, intentando atraer al niño para que nos imite a través del juego. En su mente tendrá que elaborar la postura que ve y descubrir cómo hacerla con su propio cuerpo. De nosotros depende la dificultad de este ejercicio, que puede extenderse a niños después del periodo preescolar, a quienes podemos proponer que se sitúen en posiciones reflejadas mediante dibujos más o menos esquemáticos.

5 Cuando el niño ya sea más mayor y comience a realizar correctos trazos verticales y horizontales, podremos proponerle que copie las formas que le digamos. Para ello tendrá que unir los diferentes puntos trazados en un papel. De su destreza dependerá si la unión de los puntos se hace de la forma adecuada.

46 Ejercicios para la lateralidad

LA LATERALIDAD es el predominio de la utilización de una mitad del cuerpo con respecto a la otra, lo que se traduce en una mayor supremacía de un hemisferio cerebral respecto del otro. Si manejamos con mayor frecuencia y agilidad las áreas corporales situadas en la parte derecha de nuestro cuerpo, nuestro hemisferio cerebral dominante será el izquierdo y viceversa. Ambos hemisferios cerebrales tienen centros de control nervioso para diferentes funciones, pero siempre existe una coordinación entre la información de ambos.

LAS CAUSAS Y LAS CONSECUENCIAS

La lateralidad está definida neurológicamente (no se sabe si lo está genéticamente), pero externamente se desarrolla la preferencia del uso del pie o de la mano de un lado desde el nacimiento. Este proceso de lateralización evolucionará durante los primeros años de vida del niño, siendo muy importante para su desarrollo. No es fundamental que exista un lado de preferencia en cada niño, sino el hecho de que exista una predilección por un lado frente al otro durante la experiencia que viva con el mundo externo.

No debemos confundir la lateralidad con el uso exclusivo de una mano. La preferencia por un lado se circunscribe a todo un lado del cuerpo y comprende la visión, el miembro superior y su cintura escapular, el miembro inferior y su cintura pélvica, la dirección de los giros y demás componentes que relacionan el cuerpo con el espacio. Hay que tener en cuenta que también podemos encontrar personas con la mano y el pie de distinto lado de preferencia.

La lateralidad de un niño no estará completamente definida hasta los seis años aproximadamente, aunque se pueden observar ya preferencias de algunas partes desde los tres. En ningún momento debemos obligar a un niño a realizar actividades en contra de su lateralidad, ni trabajar para que sea ambidiestro. Como ha sido demostrado en varios estudios, esto puede tener connotaciones negativas sobre el aprendizaje del lenguaje, la escritura, el cálculo, el espacio y la coordinación. Sin embargo, antes de que la lateralidad esté completamente definida, es interesante trabajar todo tipo de movimientos para que la experiencia del niño sea lo más amplia posible y darle la oportunidad de definirse por sí mismo de forma paulatina.

✓ ¿Qué podemos hacer?

Existe una serie de ejercicios, que se explican a continuación, para desarrollar y descubrir cuál es el lado predominante:

- Situaremos una pelota en el suelo dentro de un círculo. Le pediremos al niño que la agarre primero sólo con una mano y después con la otra. Observaremos la mano que elige primero, si se repite siempre y con cuál le resulta más fácil hacerlo. Si fuese demasiado sencillo con ambas, utilizaremos una pelota algo más grande.

- Solicitaremos luego que empuje un balón con el pie para meter un gol. Observando el pie que elija la primera vez, le animaremos a que lo haga también con el otro.

- También será útil hacerle caminar mientras mira por un canuto de papel. Le propondremos distintas opciones para que pruebe: mirando por uno u otro ojo, sujetando el cilindro con distinta mano y poniéndoselo en el ojo contrario (debiendo mantener el equilibrio en todo momento), etc. Siempre observaremos cuál es su mano y su ojo de preferencia.

- Con varios niños colocados formando un círculo grande, haremos pasar el balón al compañero de al lado, primero en un sentido y luego en el otro. Podemos hacerlo con ambas manos a la vez o pidiéndoles que sólo utilicen una.

- Pediremos al pequeño que gire sobre sí mismo. De esta forma observaremos hacia qué lado prefiere girar en su eje longitudinal en la posición vertical.

- Le solicitaremos que elija varios objetos situados detrás de algún mueble. Para ello le diremos que lo alcance rodeándolo por un lado y por el otro.

- Por último, podemos proponerle rodar «como troncos de árbol cortados» por el suelo. Cambiando la posición, sabremos hacia qué lado le es más sencillo rodar en su eje longitudinal en posición horizontal.

47 Juego simbólico

✓ Sabías que...

Cuando tiene un año de vida el bebé ya es capaz de imitar algunas acciones relacionadas con la función que tienen los objetos. Por tanto, el niño comprenderá la función de cada elemento y desarrollará la capacidad de evocar y reconstruir las acciones observadas de la vida adulta mientras va pasando por las diferentes fases de su desarrollo.

COMO HEMOS visto a lo largo de los ejercicios infantiles, uno de los métodos más importantes de aprendizaje del niño es a través de la imitación de los adultos y de otros niños. Desde pequeño, al bebé le encanta observar a los adultos que le rodean, siguiéndoles con la mirada y curioseando las actividades que realizamos los adultos en el día a día.

LAS CONSECUENCIAS

La mayoría de los adultos se han sorprendido alguna vez al observar cómo un niño regaña a una muñeca cuando está jugando solo, pulsa los botones del mando a distancia de la televisión y otros electrodomésticos para encenderlos sin que nadie le haya enseñado o muestra gestos y expresiones propias de algún familiar. El juego simbólico comienza a partir del año de vida del niño y pasa por diversas etapas presimbólicas, cuando el niño refleja en su juego cotidiano acciones reales que ha presenciado. Estará conformado completamente alrededor de los tres años de edad.

En un primer momento únicamente identificará algunos objetos cotidianos, hasta que posteriormente será capaz de utilizarlos en referencia a sí mismo. Más adelante aprenderá a dirigir las acciones de su juego hacia otros sujetos pasivos, como los muñecos o los adultos. Para ilustrarlo con un ejemplo, podemos pensar en el peinado cotidiano. El bebé comenzará identificando su peine e incluso lo agarrará con su mano en un intento de pasarlo por su cabello. Después lo hará por la cabeza de algún adulto o con sus muñecos. Al año y medio ya no

sólo podrá jugar a una determinada actividad cuando nosotros estamos desarrollándola, sino que también la retendrá en la memoria para representarla algunas horas más tarde.

Cuando sea algo mayor, escenificará situaciones con sus muñecos dando roles diferentes a cada uno de ellos y simulando escenas reales. En un primer momento estos papeles carecerán de sentimientos, pero progresivamente el niño aportará intencionalidad y mayor complejidad a sus «actores». A partir de los tres años las secuencias temporales de las acciones serán más numerosas y seguirán un orden lógico.

√ ¿Qué podemos hacer?

Siguiendo este proceso descrito para la exigencia de nuestros ejercicios, comenzaremos utilizando utensilios sencillos. Algunos ejemplos son los cubiertos, el peine, el teléfono o la plancha. Posteriormente complicaremos las escenas de la vida adulta, en las que entrarán en escena varios objetos y su secuencia de uso. Podremos jugar a realizar actividades del hogar, como preparar la comida, lavar la ropa, limpiar la casa o cuidar a los niños o muñecos. También podremos introducir otras actividades, como conducir, jugar a los profesores o a ser médicos. Combinaremos según la edad del niño los juegos en los que él participe dentro de la escena con aquellos que nos permitan hacerlo únicamente con sus muñecos. El niño podrá interpretar uno de los personajes y nosotros, otro hasta que el pequeño sea capaz de adoptar varios roles al mismo tiempo.

48 La derecha y la izquierda

LOS CONCEPTOS de derecha e izquierda son muy complejos para ser introducidos en los juegos de niños menores de seis años. Sin embargo, aunque no los comprendan, antes de dicha edad sí conviene mencionarles de vez en cuando que existen la derecha y la izquierda para que vayan asimilando los términos, aunque sea de forma inconsciente.

Los conceptos de derecha e izquierda pueden aprenderse a través del juego.

LAS CAUSAS

La derecha y la izquierda son conceptos que varían en función de la posición en la que se encuentra cada persona. Si situamos a dos niños de frente, los espacios derecho e izquierdo de referencia de cada uno serán opuestos, de ahí la complejidad de su comprensión. Sin embargo, podemos desarrollar ejercicios que trabajen previamente estos elementos. No lo haremos desde un punto de vista abstracto de las palabras, sino haciendo referencia al espacio que representan. Estimularemos al niño en la elección de un lado u otro en relación a la posición de su cuerpo.

Ya hemos visto los ejercicios de lateralidad en los que el niño desarrollaba el uso de un lado del cuerpo de preferencia respecto del otro, según su propia naturaleza. Con estos ejercicios también relacionaremos esta lateralidad intrínseca, pero con el espacio aún más amplio y utilizando todo el cuerpo con respecto a él. Pero de nuevo conviene insistir en que no debemos forzar al niño a que prefiera un lado sobre el otro.

LAS CONSECUENCIAS

Incluso ya de adultos, cuando los conceptos de derecha e izquierda están desarrollados, en algunas ocasiones surgen problemas a la hora de identificarlos. Son muchas las personas que tienen que «pararse a pensar» durante un tiempo breve antes de elegir una dirección u otra, sin que aparentemente este hecho influya en el desarrollo de su vida cotidiana. Estas dificultades se ven incrementadas cuando conducen o hacen deporte, porque se necesita mayor velocidad a la hora de su comprensión y también cuando vienen solicitadas desde el exterior mediante la indicación de otra persona; los segundos que nece-

sitamos para pensar cuál es la derecha y cuál la izquierda están dentro de los parámetros de normalidad.

El objetivo de los ejercicios que se proponen a continuación es acelerar el acceso a la comprensión de una indicación y la ejecución de un movimiento hacia una determinada región del espacio. El niño no tendrá que pensar en la derecha o la izquierda, que son convenciones sociales establecidas, sino en otros sistemas de referencia del momento basadas en la percepción visual, sonora, la memoria u otras combinaciones más complejas. Por ello, la práctica es necesaria para lograr dominar estos conceptos.

✓ Sabías que...

Uno de los aspectos más complicados, tanto en niños como en adultos, es saber identificar los lados derecho e izquierdo cuando nos vemos reflejados en un espejo o en un cristal. Colocaremos al niño frente a un espejo y le iremos dando indicaciones sencillas: «levanta el brazo derecho», «levanta el brazo izquierdo», «ráscate con la mano derecha», etc. De esta forma, el niño irá aprendiendo a identificar la izquierda y la derecha tanto en sí mismo como en la imagen reflejada.

✓ ¿Qué podemos hacer?

Situaremos al niño de pie en un espacio amplio y con dos aros, uno a cada lado, apoyados en el suelo, de color diferente y cerca de sus pies. Nosotros nos pondremos frente a él y llamaremos su atención de distinta manera, para que el niño responda lo más rápidamente posible. El pequeño deberá saltar al aro que le indiquemos, primero con estímulos visuales, que le resultarán más sencillos de comprender, y aumentando paulatinamente la dificultad.

El primer paso del reconocimiento será mover alternativamente el pie derecho y el izquierdo.

- Señalaremos con el dedo un aro u otro para que el niño lo vea y vaya hacia él. No añadiremos ninguna indicación verbal y cambiaremos rápidamente de posición con el movimiento de nuestro brazo.
- Si se trata de un grupo de niños, una opción será decir el nombre del compañero que está dentro de ese aro y hacia dónde pretendemos que se mueva.
- Si el niño comprende el código de colores básico, a continuación utilizaremos como indicación el color de cada aro. En un primer momento el pequeño deberá mirar para corroborar el color que ha oído. Se pretende que con el tiempo lo memorice y salte más rápidamente a su objetivo.
- Otros códigos más complejos y auditivos podrán ser: damos una palmada y el niño deberá ir hacia un aro determinado; y si damos dos palmadas, irá al otro.
- Cuando el niño ya es más mayor y está alcanzando los seis años de edad, podremos comenzar a trabajar con conceptos más abstractos. Será posible nombrar cada aro con letras diferentes o introducir directamente los conceptos «hacia la derecha» y «hacia la izquierda». Será útil situar a varios niños de un grupo en diferentes posiciones, incluso de frente. Así observarán cómo varían los movimientos de cada niño ante la misma indicación verbal, en función de su posición de partida.

49 La respiración

LA RESPIRACIÓN es un proceso innato y automático sobre el que también podemos influir de forma consciente. Ni el niño ni el adulto pueden dejar de respirar de forma voluntaria hasta la asfixia, ya que el centro respiratorio que se localiza en el bulbo raquídeo activará la musculatura inspiratoria cuando la concentración de dióxido de carbono en sangre sea mayor de lo asumible. Sin embargo, es importante ejercitar las diferentes fases de inspiración y espiración para que el niño tenga un mejor control del lenguaje y adaptación al esfuerzo físico. Además, con estos ejercicios mejora notablemente la capacidad pulmonar, las vías respiratorias se limpian y se eliminan toxinas del organismos a través de la expulsión de aire.

La inspiración es el ciclo donde tomamos el aire del exterior para introducirlo en los pulmones. El principal músculo que lo posibilita es el diafragma, que junto al resto de los músculos inspiratorios amplía la capacidad torácica en el eje vertical y transversal.

✓ Sabías que...

La espiración o expulsión del aire se realiza de forma pasiva en condiciones normales debido a las propiedades elásticas del tejido pulmonar. Para aumentar el volumen o la intensidad de aire saliente, se ponen en marcha los músculos espiratorios accesorios, entre los que encontramos los intercostales internos o la musculatura abdominal.

✓ ¿Qué podemos hacer?

Para aumentar la capacidad respiratoria existen varios tipos de respiración. En el caso de los niños se deben practicar a través de los juegos, porque si no se aburrirán y dejarán de hacerlo. La siguiente serie de ejercicios es muy sencilla y el niño la aprenderá enseguida:

1 Cuando el niño se encuentre tumbado boca arriba, colocaremos un pequeño juguete encima de la tripa. Con el objetivo de dirigir el aire hasta la parte inferior de los pulmones y reeducar una respiración más abdominal, le pediremos que hinche la tripa cuando introduzca el aire. Al tratar de realizar este ejercicio con niños, seguramente sea más eficaz guiarles mediante el juego y para ello les animaremos a que eleven su muñeco con el movimiento del abdomen. Cuando vean elevarse el juguete gracias a la entrada de aire, seguirán motivándose y nosotros les felicitaremos por el logro.

Además de entretener, los matasuegras aumentan la capacidad pulmonar.

2 Otra posibilidad es combinar los ejercicios inspiratorios con el movimiento de las manos, facilitando la coordinación y ampliando la capacidad de la caja torácica. Cuando el niño introduzca el aire, le diremos que lleve los brazos lo más arriba que pueda y que los baje despacio al expulsarlo.

3 Ejercitaremos el soplo mediante diversos elementos, con lo que consigue variar la forma de expulsar el aire. Dependiendo del grosor, longitud, consistencia y otras características de los objetos, obtendremos una mayor o menor resistencia al paso del aire. De esa forma, el

niño aprenderá a regular el flujo espiratorio en función de las necesidades. Pediremos al pequeño que sople por una pajita en el aire o que la introduzca en un vaso con agua y sople para provocar divertidas burbujas. Primero lo puede hacer de forma suave, para ir elevando paulatinamente la intensidad del soplido.

También usaremos otro tipo de cilindros de mayor y menor grosor, e incluso con formas asimétricas, más gruesos a la entrada que a la salida y viceversa. Matasuegras, globos, trozos de papel y pompas de jabón también nos podrán resultar de gran utilidad.

La vela de cumpleaños también refuerza su capacidad respiratoria.

4 Además del soplo, podemos trabajar otro tipo de expulsión del aire colocando la boca abierta para que no se realice tanta resistencia. El niño deberá empujar el aire más intensamente para que se aprecie de manera evidente que lo está expulsando. Para hacerlo mediante un divertido juego, le pediremos que empañe un espejo con el vaho producido por la espiración. Para que lo entienda bien, deberemos hacerle una demostración previa del ejercicio que le estamos pidiendo.

5 También resulta de utilidad para reeducar el proceso respiratorio utilizar los ejercicios de apnea. Pediremos al niño que retenga el aire cuando nosotros se lo

indiquemos con nuestra voz o con una palmada, ya sea durante la inspiración o en la espiración. Le haremos retener el proceso únicamente durante dos o tres segundos antes de continuar manteniendo el proceso respiratorio de forma natural. Es probable que se canse pronto, por lo que en cuanto suceda, suspenderemos el ejercicio.

50 La imitación y la mímica facial

Sabías que...

Las llamadas «neuronas espejo» son un tipo de células que se activan para repetir una acción que el niño o el adulto acaba de observar y gracias a las cuales puede imitar lo que está viendo. Están distribuidas por varias regiones cerebrales, por lo que influyen en muchas de las funciones del ser humano. Y a veces se activan de forma inconsciente para nosotros.

PRÁCTICAMENTE DESDE el nacimiento el niño intenta imitar los gestos que realizan los adultos que le rodean. A los pocos meses de vida podemos ver cómo sonríe, emite sonidos o muestra caras de agrado o desagrado, según los estímulos que recibe. Esto se debe a que los circuitos neuronales responsables de la imitación comienzan a activarse rápidamente después del parto. La forma de actuar y de expresarse de los adultos de referencia para el pequeño influyen en él considerablemente en la futura forma de ser y de desenvolverse en la vida.

Con los sencillos ejercicios que se proponen a continuación se pretende facilitar el desarrollo de una expresión facial más variada y rica. Y al mismo tiempo estaremos trabajando la expresión oral y la comunicación siempre de una forma entretenida para el niño.

Estas actividades se podrán realizar desde los primeros meses de vida del bebé, pero teniendo en cuenta que tendrán un carácter más pasivo que si las realizamos en el segundo trimestre. Es decir, la comunicación se hará únicamente a través de la expresión facial y será con los niños más mayores con los que incluiremos el refuerzo verbal de las expresiones y a quienes pediremos que realicen los mismos movimientos que hemos ejecutado nosotros previamente.

✓ ¿Qué podemos hacer?

1 EL MASAJE FACIAL. Deslizaremos suavemente nuestros dedos por la cara del niño para activar y aportar una mayor percepción a toda la musculatura responsable de la mímica facial. Comenzaremos trazando líneas horizontales por la frente hasta las sienes, descenderemos por los laterales de la nariz, rodearemos los ojos y la boca, masajearemos los carrillos y también el cuello. Nos detendremos en las sienes, recorreremos las cejas, los labios, las orejas, la cabeza y el pelo. Si decidimos comenzar desde que el niño es un bebé, tendremos especial cuidado en la zona de las suturas craneales en esta etapa.

2 LA MÍMICA FACIAL. A continuación uniremos las propiedades sensitivas del masaje a la imitación para ejercitar la mímica facial del niño. Al mismo tiempo que rozamos con nuestros dedos en determinadas zonas, solicitaremos al pequeño que cambie la expresión de su cara en distintas situaciones. Para ayudar a comprender la orden verbal, en un primer momento será fundamental que el adulto realice la mueca para que el niño la pueda copiar. Podremos situarnos frente a frente o utilizar un espejo donde tanto el niño como el adulto se reflejen y puedan observarse el uno al otro.

- SONRISA. Haremos amplias sonrisas, mientras con nuestros dedos traccionamos hacia los laterales los labios del niño.
- CARCAJADA. Provocaremos una gran risa, muy sonora y con gran apertura de la boca, buscando que el niño se divierta con nuestra mueca y nos imite.
- PUCHEROS. Descenderemos activamente nuestro labio inferior mientras deslizamos nuestro dedo por debajo del suyo para movilizarlo en la misma dirección.
- TRISTEZA. Haremos una cara de tristeza bajando los ojos y las comisuras labiales.
- LLANTO. Simularemos el llanto pero sin lágrimas configurando toda su complejidad con nuestra expresión facial.
- SORPRESA. Elevaremos las cejas y abriremos la boca.
- SUEÑO. Caracterizado por bostezos y el cierre de los ojos.
- ENFADO. Fruncimos el ceño y apretaremos los labios.
- SOPLO. Expulsaremos el aire con los labios apretados y dejando únicamente un pequeño orificio.

Bibliografía

BLUMA, S.; SHERER, M.; FORMAN, A., y HILLIARD, J.: *Guía portage de la educación preescolar.* Symtec, Madrid.

JENS, K. G.; ATTERMEIER, S. M., y HACKER, B. J.: *Currículo Carolina, evaluación y ejercicios para bebés y niños pequeños con necesidades especiales.* TEA Ediciones, Madrid, 1997.

JOSSE, D.: *Brunet-Lézine revisado: escala de desarrollo psicomotor de la primera infancia.* Symtec, Madrid, 1988.

PÉREZ SÁNCHEZ, M. I., y LORENZO RIVERO, M. J.: *IDAT. Inventario de Desarrollo Atención Temprana.* Amarú Ediciones, Salamanca, 2004.

SANZ MENGÍBAR, JOSÉ MANUEL: *50 preguntas y respuestas sobre tu bebé.* Editorial Libsa, Madrid, 2009.

SANZ MENGÍBAR, J. M.: *Manual del masaje paso a paso.* Editorial Libsa, Madrid, 2006.

SANZ MENGÍBAR, J. M.: *Masaje del bebé.* Editorial Libsa, Madrid, 2008.

SANZ MENGÍBAR, J. M.: *Masajes terapéuticos.* Editorial Libsa, Madrid, 2006.

VIDAL LUCENA, M., y DÍAZ CURIEL, J.: *Atención Temprana. Guía práctica para la estimulación del niño de 0 a 3 años.* Ed. CEPE, Madrid, 2002.

VOJTA, VÁCLAV: *Alteraciones motoras cerebrales infantiles.* Morata, Madrid (2.ª ed.), 2005.

WILLE, A. M., y AMBROSINI, C.: *Manuale di terapia psicomotoria dell'età evolutiva.* Cuzzolin Editore, Nápoles, 2005.

ZUKUNFT-HUBER, B.: *Der kleine Fuss ganz gross. Dreikimensionale manuelle Fusstherapie bei kindlichen Fussfehlstellungen.* Elsevier, Urban&Fischer, 2005.

ZULUETA, M. I., y MULLA, T.: *Programa para la estimulación del desarrollo infantil.* Ed. CEPE, Madrid, 1997.

VV AA: *50 consejos para calmar el llanto de tu bebé.* Editorial Libsa, Madrid, 2009.

Biografía

JOSÉ MANUEL SANZ MENGÍBAR es fisioterapeuta (Universidad Rey Juan Carlos, Madrid) y terapeuta Vojta en lactantes, niños y jóvenes con alteraciones motoras. Trabaja como especialista en fisioterapia infantil y rehabilitación neurológica, y posee una amplia experiencia laboral en varios centros de atención temprana y desarrollo infantil en la Comunidad de Madrid (España) y en Roma (Italia).

Actualmente ha ampliado su campo de trabajo en diversos centros terapéuticos británicos.

INTERNET:
http://www.savethechildren.es/